S0-AWL-518

岩波新書新赤版一〇〇〇点に際して

ひとつの時代が終わったと言われて久しい。だが、その先にいかなる時代を展望するのか、私たちはその輪郭すら描きえていない。二〇世紀から持ち越した課題の多くは、未だ解決の緒を見つけることのできないままであり、二一世紀が新たに招きよせた問題も少なくない。グローバル資本主義の浸透、憎悪の連鎖、暴力の応酬——世界は混沌として深い不安の只中にある。

現代社会においては変化が常態となり、速さと新しさに絶対的な価値が与えられた。消費社会の深化と情報技術の革命は、種々の境界を無くし、人々の生活やコミュニケーションの様式を根底から変容させてきた。ライフスタイルは多様化し、一面では個人の生き方をそれぞれが選びとる時代が始まっている。同時に、新たな格差が生まれ、様々な次元での亀裂や分断が深まっている。社会や歴史に対する意識が揺らぎ、普遍的な理念に対する根本的な懐疑や、現実を変えることへの無力感がひそかに根を張りつつある。そして生きることに誰もが困難を覚える時代が到来している。

しかし、日常生活のそれぞれの場で、自由と民主主義を獲得し実践することを通じて、私たち自身がそうした閉塞を乗り超え、希望の時代の幕開けを告げてゆくことは不可能ではあるまい。そのために、いま求められていること——それは、個と個の間で開かれた対話を積み重ねながら、人間らしく生きることの条件について一人ひとりが粘り強く思考することではないか。その営みの糧となるものが、教養に外ならないと私たちは考える。歴史とは何か、よく生きるとはいかなることか、世界そして人間はどこへ向かうべきなのか——こうした根源的な問いとの格闘が、文化と知の厚みを作り出し、個人と社会を支える基盤としての教養となった。まさにそのような教養への道案内こそ、岩波新書が創刊以来、追求してきたことである。

岩波新書は、日中戦争下の一九三八年一一月に赤版として創刊された。創刊の辞は、道義の精神に則らない日本の行動を憂慮し、批判的精神と良心的行動の欠如を戒めつつ、現代人の現代的教養を刊行の目的とする、と謳っている。以後、青版、黄版、新赤版と装いを改めながら、合計二五〇〇点余りを世に問うてきた。そして、いままた新赤版が一〇〇〇点を迎えたのを機に、人間の理性と良心への信頼を再確認し、それに裏打ちされた文化を培っていく決意を込めて、新しい装丁のもとに再出発したいと思う。一冊一冊から吹き出す新風が一人でも多くの読者の許に届くこと、そして希望ある時代への想像力を豊かにかき立てることを切に願う。

（二〇〇六年四月）

堤 未果

東京生まれ．ニューヨーク市立大学大学院国際関係論学科修士号取得．国連婦人開発基金(UNIFEM)，アムネスティ・インターナショナル・NY 支局員を経て，米国野村證券に勤務中，9・11 同時多発テロに遭遇．以後，ジャーナリストとして各種メディアで発言，執筆・講演活動を続ける．
著書—『グラウンド・ゼロがくれた希望』(ポプラ社，のち扶桑社文庫)
『報道が教えてくれないアメリカ弱者革命』(海鳴社，黒田清・日本ジャーナリスト会議新人賞)
『ルポ 貧困大国アメリカ』(岩波新書，日本エッセイストクラブ賞，新書大賞 2009)
『ルポ 貧困大国アメリカ II』(岩波新書)
『社会の真実の見つけかた』(岩波ジュニア新書)
『政府は必ず嘘をつく』(角川 SSC 新書)

(株)貧困大国アメリカ　　岩波新書(新赤版)1430

2013 年 6 月 27 日　第 1 刷発行
2014 年 2 月 25 日　第 5 刷発行

著 者　堤《つつみ》 未果《みか》

発行者　岡本 厚

発行所　株式会社 岩波書店
〒101-8002 東京都千代田区一ツ橋 2-5-5
案内 03-5210-4000　販売部 03-5210-4111
http://www.iwanami.co.jp/

新書編集部 03-5210-4054
http://www.iwanamishinsho.com/

印刷・理想社　カバー・半七印刷　製本・中永製本

© Mika Tsutsumi 2013
ISBN 978-4-00-431430-1　　Printed in Japan

㈱貧困大国アメリカ

堤　未果
Mika Tsutsumi

岩波新書
1430

目　次

目次

・本文中の肩書きは取材当時のものである。なお、仮名を用いたケースがある。
・一ドル＝一〇〇円で換算した。
・本文中の写真で特に断りのないものは、著者が撮影した。

プロローグ

ニューヨーク州ブロンクスに住むミシェル・バトラーは、月末の夜中一時になると、割引クーポンを手に、地下鉄駅のそばにある大型、安売りスーパーに向かう。店に入り、色とりどりの野菜や果物が並べられている脇を足早に通り抜け、向かう先は最安値コーナーだ。一ドル四八セントの食パン一斤と袋入りラーメン、レンジで温めるインスタント米をカートに入れる。コーンスナックは割安な三倍サイズ、仕事で忙しい朝はまとめ買いする缶詰のスープが役立ってくれる。朝食用シリアルとコカ・コーラの二リットルボトルを一本。いっぱいになったカートを押してレジに行くと、ミシェルはハンドバッグからプラスチックのカードを取り出した。

支払額はしめて五六ドル四五セント。

ミシェルは安堵のため息をついた。

「SNAP《スナップ》(Supplemental Nutrition Assistance Program＝補助的栄養支援プログラム)の上

限は週二九ドルです。これで二週間は大丈夫。本当にこの制度には感謝しています。二〇一二年の一月に会社をリストラされて以来ずっと失業中ですが、安い食品でうまくやりくりすれば何とかやっていかれます」

ＳＮＡＰとはアメリカ政府が低所得層や高齢者、障害者や失業者などに提供する食料支援プログラムだ。以前は「フードスタンプ」と呼ばれていたが、二〇〇八年一〇月にＳＮＡＰと名称を変えている。クレジットカードのような形のカードをＳＮＡＰ提携店のレジで専用機械に通すと、その分が政府から支払われるしくみだ。

受給額は州や受給者の収入によって異なるが、ニューヨーク州では、単身者で月収一一八〇ドル(約一一万八〇〇〇円)以下なら月一一七ドル(約一万一七〇〇円)分支給される。全米の平均支給月額は一三二ドル(約一万三二〇〇円)、カードは全国二三万一〇〇〇店舗で使用できる。が、嗜好品は買えず、あくまでも食品のみという条件付きだ。

ＳＮＡＰは月に一度、夜中〇時に支給されるため、毎月その日は夜中過ぎから全米各地の安売りスーパーに受給者があふれるという。

ミシェルの買い物袋も、加工食品や炭酸飲料、缶詰やインスタント食品でいっぱいだった。

「生鮮食品は単価が高いので、いつも最安値の食品コーナーに行きます。ＳＮＡＰはありがたい制度ですが、一食分一ドル三〇セント（約一三〇円）ですから贅沢はできません。私と同時期にリストラされた同僚には息子が一人いるのですが、安くてすぐ満腹になるインスタント食品中心でも、毎月二週間で冷蔵庫が空になると言っていました。彼女は次の支給日まで、教会の炊き出しやNPO（特定非営利団体）の食料配給の列に並んでいますね」

アメリカの貧困率と失業者の数は、リーマンショック以来増え続けている。

四人家族で年収二万三三一四ドル（約二三〇万円）という、国の定める貧困ライン以下で暮らす国民は現在四六〇〇万人、うち一六〇〇万人が子どもだ。失業率は九・六％（二〇一〇年）だが、職探しをあきらめた潜在的失業者も加算すると実質二〇％という驚異的な数字になる。一六歳から二九歳までの若者の失業率を見ると、二〇〇〇年の三三％から四五％に上昇、経済的に自立できず親と同居している若者は六〇〇〇万人だ。

スーパーには加工食品があふれている

ミシェルのようなSNAP受給者は年々増加、二〇一二年八月三一日のUSDA（農務省）発表では、約四六六七万三七三人と過去最高に達した。一九七〇年には国民の五〇人に一人だったのが、今では七人に一人がSNAPに依存していることになる。

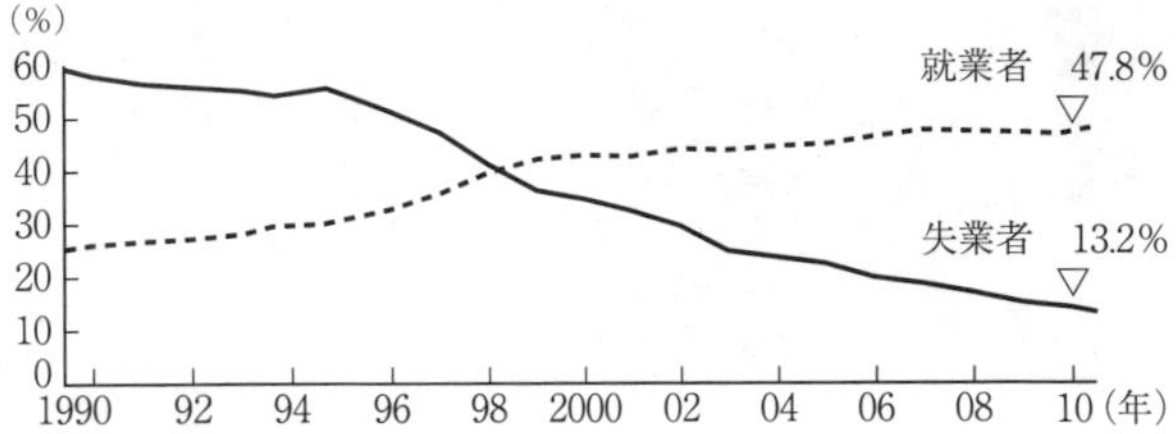

受給者は失業者より就業者が多い(子どものいるSNAP受給世帯の内訳)(アメリカ農務省データ)

「問題は、仕事の空き自体が少ないことよりも、まともに暮らせる賃金の仕事が見つからないことなんです」

ミシェルはかつて中小企業の秘書だった。だがリーマンショックのあおりを受けて会社が倒産してからは、昼間はウェイトレス、夜はバーテンダーのアルバイトで食いつないでいる。

国内の貧困状況を調査する市民団体「ワーキングプア・ファミリー・プロジェクト」のデータによると、二〇一〇年の時点でアメリカ国内のワーキングプア人口は一億五〇〇〇万人(二人に一人)を突破、うち四人に一人が、八大低賃金サービス業(ウェイター・ウェイトレス、レジ係、小売店の店員、メイド、運転手、調理人、用務員、介護士)に就いており、給料の手取り額が貧困ライン以下だという。

ミシェルがSNAPを申請したのは、二〇一二年の一一月だった。それまでSNAPの存在は知っていたものの、アルバイトをしながらも受給できることは知らなかったという。

「底辺の人がもらうイメージだったので、わざわざ調べようともしなかったのです」

だがある日、職探しの帰りにふと耳にした一本のラジオCMが、彼女の運命を変えることになる。

それは女性二人の会話だった。

「ねえ、彼女最近生き生きしてない？　肌つやもいいし、何か特別なことをやってるのかしら？」

するともう一人の女性の声が答える。

「私、彼女の秘密を知ってるわ。SNAPよ。SNAPで栄養のあるものをしっかり食べるようになってから、彼女すっかり元気になったわ」

「SNAPですって？　でも私のような、少ないけど収入がある高齢者でも受けられるのかしら？」

「もちろんよ！　実は私も給料が少ないから、SNAPに申し込んだの。毎月給料が医療費や家賃の支払いで消えちゃうけど、子どもたちにまともな食事を食べさせられるようになってホッとしたわ！　SNAPは申請も簡単だし、絶対におすすめよ！」

ＣＭの内容は本当だった。半信半疑でミシェルが最後に流れた電話番号にかけると、電話の向こうのインド訛りの女性は丁寧に申請方法を教えてくれた。住んでいる町の社会保障事務所で手続きをしたところ、その場で承認され、二週間後にはカードが送られてきたという。

「受給してからわかったんですが、今国中ＳＮＡＰの広告だらけですよ。テレビやラジオではＳＮＡＰのＣＭがしょっちゅう流れているし、新聞を広げるとまず目に飛び込んでくるのはＳＮＡＰの広告ですね。ネットで何かを検索しようとしてもＳＮＡＰのバナーが出てくるし、学校やバス停、スーパーのウインドウにもＳＮＡＰのポスターが貼られています。ＵＳＤＡがかなりの予算を使って宣伝しているみたいですよ」

それは奇妙な話だった。

一六兆ドル（約一六〇〇兆円）という借金を抱えたアメリカは、リーマンショック以降何度も、国家破綻危機に直面している。二〇一三年三月にはバラク・オバマ大統領がついに強制歳出削減案に署名、高齢者の医療保障や貧困層支援などを始め、向こう一〇年で三兆九四億ドルの歳出削減が予定されている。

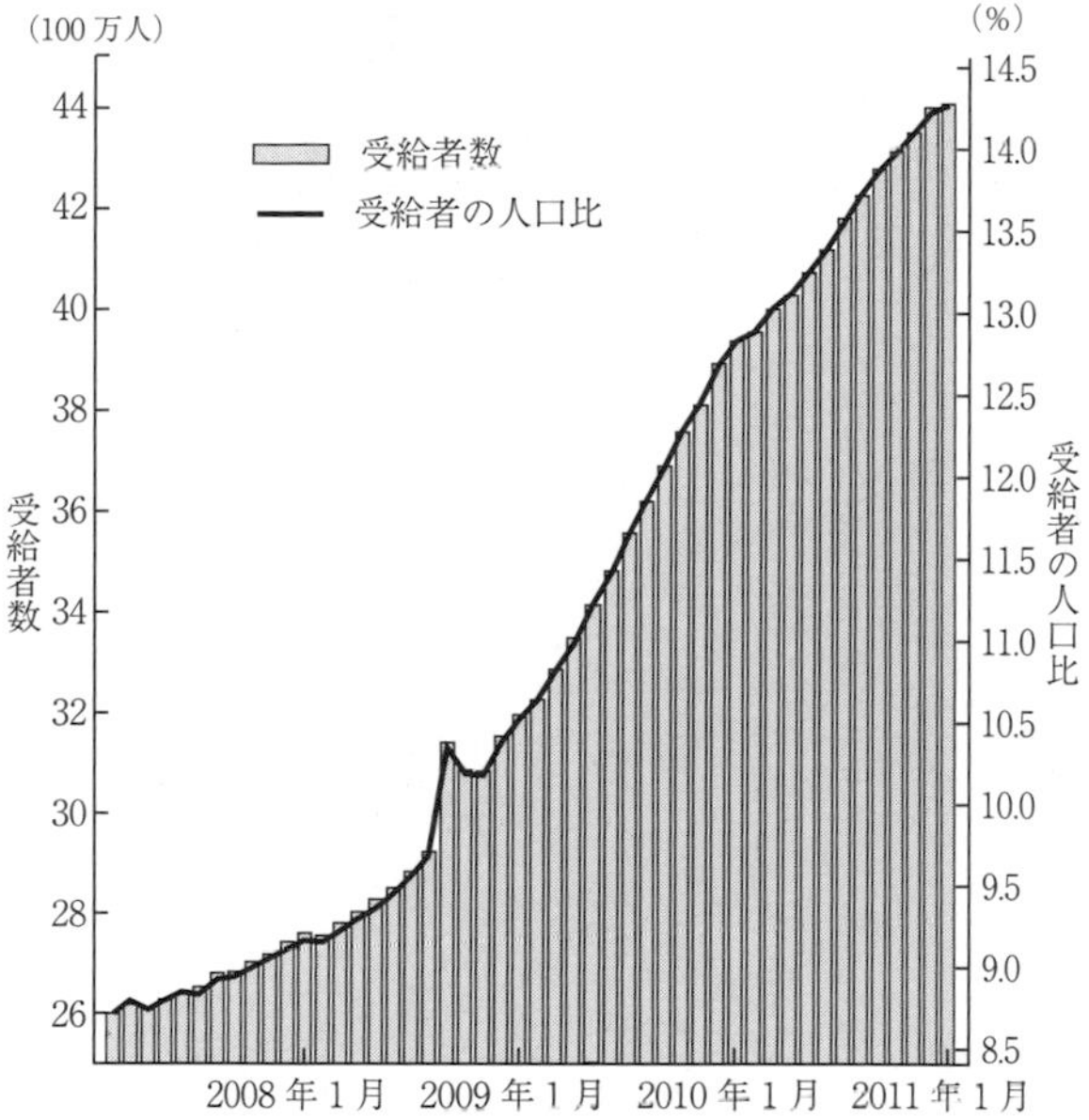

急増するフードスタンプ(SNAP)受給者数
(アメリカ農務省データ)

貧困層とワーキングプア人口が拡大するなか、SNAPへの支出は年々膨れ上がり、医療費とともに政府予算を大きく圧迫し続けている。二〇一一年度のSNAP支出はリーマンショックが起きた二〇〇八年の倍、七五〇億ドル(約七兆五〇〇〇億円)だ。

にもかかわらず政府はSNAPの広告予算を増やし、USDAは予算の半分以上を圧迫するSNAPをもっと受給するよう、国民に呼びかけているのだ。

政策アナリストのジョン・ミレンは、オバマ大統領がなぜ雇用対策より生活保護対策に力を入れるのか理解に苦しむと言う。

「アナリストたちの間で、オバマ氏は「フードスタンプ大統領」と呼ばれています。オバマ政権になってから、新規雇用が増える一〇倍のスピードでＳＮＡＰ受給者が増えている。低所得層の救済策は必要ですが、国の財政が逼迫しているなかで、自立のための雇用より税金による生活保護受給者を増やしてどうするのでしょう?」

だがＳＮＡＰを管轄しているＵＳＤＡのトム・ビルサック長官は、ＳＮＡＰは経済政策として正しいのだと主張する。

「ＳＮＡＰ利用者を増やすことで、低賃金や失業で困窮しているアメリカ国民が救われるだけでなく、食品業界の消費が増えて経済が活性化する。国民は食費の負担から解放されるだけでなく、しっかり栄養をとることで就職活動にも力を入れられる。ＳＮＡＰを取り扱う店舗が増えればそこには雇用も生まれるだろう。つまりこれは今のように困窮する状況下での、雇用対策と国民の栄養に配慮した適切な政策なのだ」

だが本当にそうだろうか。

ビルサック長官の論理が正しいならば、ＳＮＡＰ受給者の増加は失業率低下につながるはずだ。だが、失業率はちっとも下がる気配がない。

SNAPが受給者の健康に与える影響にも、医師たちから疑問の声が上がっている。

「この二〇年、国内の貧困児童と子どものⅡ型糖尿病が激増しています」

ボストン肥満防止基金のディレクターで、『アメリカ医学協会ジャーナル』に「肥満児童と飢餓児童」についての論文を寄稿したディビッド・ラドウィック博士は、SNAP拡大と子どもたちの肥満には相関関係があると指摘する。

「貧困児童はそうでない子どもに比べ、肥満率が七倍高いのです。SNAPは本来子どもたちを飢えから救済する制度のはずですが、実際はSNAP受給者の食生活の中心であるジャンクフードや糖分の高い炭酸飲料、栄養のない加工食品などによって、子どもの医療費は増えている。それが結局、低所得層の家計をさらに圧迫するという、悪循環を起こしているのです」

SNAPを導入している州からも、栄養面での改善を図るため、砂糖入りのジュースやキャンディ、炭酸飲料、トランス脂肪酸含有食品やスナック菓子といった、栄養価の低い食品を適用外にする法案が一〇州から提出されている。だが、それらの法案は一つとして成立していない。

その理由について、ラドウィック博士はこう語る。

「SNAPの内容を栄養に配慮したものにする法案が出されるたびに、コカ・コーラ社や全米キャンディ協会、いくつものファーストフード店を傘下に持つヤム・ブランズ社、世界最大のスーパーマーケット・チェーンのウォルマート社など、食品業界が束になって反対の圧力をかけてくるのです」

中でもウォルマート社は、SNAPから大きな恩恵を受けている企業だ。

この三〇年で急速に寡占化が進んだ食品業界でトップを誇るウォルマートは、国内における小売りの二四%を支配している。「業界最安値」を掲げる同社は、SNAPの食品購入先として全米ナンバーワンだ。二九都市で利用先の半数以上を占め、SNAP受給者の多いオクラホマのような州では二〇〇九年から二〇一一年までの二年間で、売り上げが五〇六億ドル(約五兆六〇〇〇億円)に達している。

ウォルマート広報部門担当で副社長のレスリー・ダックは、同社の収益におけるSNAPの重要性をこう強調した。

「SNAPからの収入は我が社にとって大変大きいですね。多くの州でSNAP利用者の二人に一人が、ウォルマートで食品を購入してくれています」

「公共のための科学センター(Center for Science in the Public Interest)」の調査によると、

炭酸飲料や砂糖を含む清涼飲料水業界も、二〇一〇年度だけでSNAPによる売り上げが四〇億ドル(約四〇〇〇億円)と、こちらもSNAPから巨額の利益が流れ込んでいる。

「ワーキングプア人口の拡大で、黙っていても利用者がどんどん増えるSNAPは、食品業界にとってドル箱になっているのです」

そう指摘するのは、マンハッタン在住の保守派コラムニスト、ライアン・ギルダスキーだ。

「SNAPが助けているのは、困窮したワーキングプアや失業者でも、零細農家でもありません。SNAPの売り上げが入る食品業界と、SNAPによる偏った食事が生む病気が需要を押し上げる製薬業界、それにSNAPカード事業を請け負う金融業界の三者です」

九〇年代の終わりにビル・クリントン大統領が実施した福祉民営化の一環で、フードスタンプは電子カード式に切り替えられ、ウォール街の大銀行に大きなビジネス・チャンスがもたらされた。各州が外注する新システム導入と運営契約の半数以上を手に入れたのは、大統領選挙の献金額で常に上位に入るJPモルガンの子会社、エレクトロニック・ファイナンシャル・サービス(Electronic Financial Services)だ。

SNAPの運営費および導入費用は連邦と州で折半だが、契約金は高額だ。その内容は各州の受給者数ごとに異なり、たとえばニューヨーク州は年間一四三〇万ドル(約一四億三〇〇〇万円)を、フロリダ州は年間一六七〇万ドル(約一六億七〇〇〇万円)を、それぞれJPモルガン社に支払っている。受給者がカードを紛失した場合は、同社のコールセンターに一回二五セントの通話料で連絡し、さらに五ドル(約五〇〇円)の再発行費用を支払わなければならない。

政府が受給者拡大に力を入れるほど、契約先の大企業への支払いで州の財政は圧迫される。全米の自治体の九割が五年以内に破産すると言われる今のアメリカで、やがて力尽きた州は緊縮財政を迫られ、公的機能を切り売りせざるをえなくなるだろう。格差が拡大した社会において、公共サービスの民営化がもたらすものは、さらなる二極化と貧困の拡大だ。

「これはSNAP受給者にとって、抜けられないループを作り出しているのです。貧しい者はさらに貧しく、富める者はますます資産を増やす、という構図ですね」

ライアンは言った。

「SNAPについて、州議会ではどんな議論がされているのでしょうか」

「地方自治体議員の多くは、ふくれあがるSNAP支出に危機感を抱いています。IT化導入の際も、政府は『雇用が増える』ようなことを言っていましたが、あのとき議員たちは気づくべきだったのです。この国の失業者やワーキングプアを自立させるなら、悪い食生活で健康を害するSNAP拡大に力を入れるより、割高でも栄養のある生鮮食品を買える賃金を得られる国内雇用を増やすべきだと。多国籍企業の目的は株主利益を上げることであって、彼らに国内の貧困問題を解決する意識などありません」

ライアンの言ったとおり、国内の失業者がＩＴ化による恩恵を受けることは決してなかった。ＪＰモルガンは人件費を最低限に抑えるために、ＳＮＡＰコールセンターの仕事をすぐに時給三ドル五〇セントのインドに外注したからだ。

「政府はＳＮＡＰの広告費にずいぶん予算を費やしているようですが」

「オバマ大統領は就任してすぐに、食品、製薬、金融という選挙時の三大大口献金元への見返りとして、ＳＮＡＰ市場拡大に着手しました。いったい大統領は誰のために働いているのでしょう？　少なくともこの国の国民だとは思えない。しかも信じられないことに、そのターゲットは国内だけではなかったのです」

二〇一三年三月。

ニューヨークに本部を持つ司法監視団体「Judicial Watch」のトム・ホットン会長は、二〇〇九年にＵＳＤＡがメキシコ政府との間で交わした公電を入手した。文書の中身を見た瞬間、トムは強い怒りが込み上げたという。

メキシコ国境の看板．左はドリーム法以前，右はドリーム法以後（magnifiedview.com）

それはアメリカ政府から、ビザを持たない不法メキシコ移民の子どもたちにＳＮＡＰを受給させること、ついてはアメリカ国内五〇か所にあるメキシコ領事館に、これについての告知と、申請手続き代行を要請する内容だった。

「これはもう、国家ぐるみの貧困ビジネスです」

トムは厳しい口調で批判する。

「オバマ大統領は一期目で〈ドリーム法（Dream Act）〉を成立させ、国内の不法移民の子どもたちがアメリカの市民権を得やすくなるよう規制緩和を行いました。そして二期目の今回は、これを不法移民にまで適用しようとしている。これが実現すると、国内にいる移民人口の三〇倍、一一〇〇万人の不法移民が市民権と条件付き労働許可を得て、最終的には国籍まで取得できることになります。

オバマ大統領再選の鍵になったと言われるヒスパニック人口は激戦州で増加しているので、さらに増えれば中間選挙で民主党が有利になる。もちろんＳＮＡＰで利益を得る三大業界からの支援も大いに期待できるでしょう」

大統領選挙におけるヒスパニック系有権者数は、二〇〇八年の九七〇万人から二〇一二年には一二三〇万人まで増加、すでに有権者人口の一〇％を超えている。

「これは国民に対する裏切りです。ただでさえまともに食べていかれないワーキングプアと失業者、ホームレスが国内にあふれているところに、一一〇〇万人の移民が入ってきたらどうなりますか？　わずかに残った仕事は人件費の安いメキシコ移民に奪われ、価格競争に負けたアメリカ国民は、ますます貧困に突き落とされるでしょう。なんてことだ、ＮＡＦＴＡ（北米自由貿易協定）の悪夢が、再び繰り返されることになる」

一九九二年にカナダ・メキシコとの三国間でＮＡＦＴＡを結んだとき、政府は農業生産と雇用が拡大し、経済成長で国が豊かになると宣伝した。だが実際、安い人件費と規制緩和でうなるように儲けたのは、労働者ではなく、多国籍企業のアグリビジネス（農産複合体）と製薬業界だ。カナダでは農家の七割が米国資本に買収され、メキシコではアメリカ製の安い農産物に市場を奪われた農家が次々に倒産、大量の経済難民が国境を越えてアメリカに入国し、最低賃金労働者となりアメリカ人の職を奪った。五〇〇万人の失業者を生んだＮＡＦＴＡについて、「環境や労働者を守らず、多国籍企業と投資家のみを利する愚策」だと激しく国会で批判したかつてのオバマ上院議員は、ＮＡＦＴＡよりさらに企業寄りの自由貿易条約であるＴＰＰ（Trans-Pacific Partnership＝環太平洋戦略的経済連携協定）を今、強力に推進中だ。

二〇一一年一二月。

年間一〇〇万ドル（約一億円）以上SNAPから利益を得た企業に、購入された品目の公開を義務づける法案〈FRESH ACT〉が上院で提出された。

この法案の発議者でオレゴン州選出のロン・ワイデン上院議員は、同法案が今も棚上げされている事実をこう語る。

オレゴン州選出のロン・ワイデン上院議員

「今この国の三権分立は、かつてないほどの危機に瀕しています。あらゆる分野で大企業の力が強くなりすぎ、ついに議会の権限まで超越してしまった」

ワイデン議員の言葉は本当だった。

上院財政委員会の通商小委員会委員長でもある彼は、自身が監督する立場にあるTPP交渉に関する情報へアクセスすることができないでいる。交渉内容はUSTR（アメリカ通商代表部）が仕切っており、六〇〇社の企業代表だけが、閲覧や修正を許可されているからだ。国民の代表である国会議員が交渉内容を自由に見ることもできず、それに関しUSTRと協議する場も与えられていないことに危機感を感じたワイデン議員は、この不条理に真っ向から挑む法案を提出した。

USTRは、TPP交渉文書をすべての国会議員および許可証を持つそのスタッフに公開すること。交渉内容に関し議員とUSTR双方を協議させ、議員も意見を述べる機会を設けること、などが盛り込まれた内容だ。

通商交渉委員会のスタッフディレクター、ジェイムス・ホワイトは、この状況をこう語る。

「国民の生活を大きく左右する通商交渉分野のトップ議員が、わざわざ法案まで出さなければならないほどすっかり蚊帳の外に置かれている。この異常な状況が、今のアメリカをよく表していると言えるでしょう。TPP交渉一つとっても、日本を含む各国政府が交渉を進めている相手が、かつてのような国家としてのアメリカだと思わない方がいい。今政府の後ろにいるのは、もっとずっと大きな力をもった、顔の見えない集団なのです」

ブッシュ政権の八年が終わり、オバマ政権が二期目に突入し、膨れ上がる赤字を抱えてついに財政の崖から落ちたアメリカ。

だがマスコミが描くイメージの裏で、ここ数十年着々と進行し、この国の権力構造を根底から変質させているもう一つ巨大な流れがある。それは今まさに国境を越え、徐々にスピードを上げる高波のように、確実に勢力を伸ばしながら、世界をのみ込もうとしているのだ。

新たなステージへと進んだ貧困大国アメリカが、後を追う日本の近未来を鏡のように映し出し、岐路に立つ私たちに、もう一つの選択肢を投げかけている。

第1章

株式会社奴隷農場

工場式鶏舎に詰め込まれた鶏たち
(© Cornucopia Institute)

夢の退職生活のはずが……

一九九六年の夏、朝食のテーブルで夫からその新聞広告を見せられたとき、マーガレット・ホークは不思議な胸の高鳴りを感じた。

それは大手養鶏加工業者サンダーソン社による、契約養鶏者募集の広告だった。同社は一九九五年に事業を拡大し、マーガレットたちの住むテキサス西部での大規模な鶏肉加工工場と鶏卵施設新設に伴い、養鶏、鶏卵、ブロイラーと、三種類の契約生産者を募集していた。

マーガレットの興味を引いたのは、同社と契約をしているという中年の夫婦の声だ。養鶏という新しい事業を始めたことで、退職後に副収入と生きがいができたという。

「悪くなさそうじゃないか」

夫のジェイも興奮しているようだった。サンダーソン社は養鶏加工業界では国内でも五本の指に入る有名企業だ。創業者は家族経営で飼料販売事業を始め、やがて国内従業員八三〇〇人と個人契約生産者六〇〇世帯を持つ、年商一〇億ドルの大会社に成長させた。現在は創業者の息子が後を継いでおり、鶏を「自然に近い形」で育てていることを売りにしている。

動物好きなマーガレットは、真っ白な鶏たちに餌と水をやる自分の姿を想像した。それは夫の言うとおり、悪くないイメージだった。地元のディスカウント家具店のマネージャーである夫の給料だけでは、毎月の支払いを終えた後はほとんど手元に残らない。養鶏ビジネスの副収入は、二人の老後の蓄えになるだろう。広告に出ている別な契約者の言葉が、高校生の娘がいる二人の心をさらに強く動かした。

「養鶏は大切な子どもたちの将来のための、投資としても最適です」

夫が広告の番号に電話をかけ、翌日二人はサンダーソン社の地域事務所の真新しい調度品がある会議室でマネージャーから説明を受けた。

マネージャーの話によると、毎年卵一ダースにつき二十七セントで約一二万一五九〇ドル（約一二〇〇万円）強の粗利益が出る。経費は年間二万六七〇〇ドル。鶏舎の建設費は会社側からホーク夫婦に貸し付けられ、売り上げの六割をローン返済として銀行に支払った後の残り三万七九五六ドルが夫婦の手取りになるという。

「みなさん大体一二年か一三年でローンを完済されます」

マネージャーの最後の言葉に、二人は顔を見合わせた。ジェイはつばを飲みこむと、机の下でマーガレットの手を握った。マーガレットの頭の中に、明るい近未来のイメージが広がってゆく。これで娘の学費や、急な医療費におびえなくてよくなる。数年前から夫が時折訴える胸の痛みは、マーガレットの不安の種だったのだ。

二人の意思を確認すると、マネージャーは地元の銀行リストを手渡しながら言った。

「ここから、初期投資にかかる費用を借り入れる銀行を選んでください」

初期投資としていちばん高額なのは鶏舎だ。夫婦なら二つか三つが妥当だが、昨夜電話でこの話をした、前年夫がリストラされたばかりのマーガレットの妹夫婦も手伝いたいと言っている。結局四つ分、建てることにした。借入総額は九〇万ドル(約九〇〇〇万円)。四万八〇〇〇ドルというジェイの年収では到底ローンは下りないだろう。マーガレットの表情が変わったのを見たマネージャーは、にっこり笑ってこう言った。「大丈夫ですよ奥さん、USDA(農務省)の小規模農家支援制度である、農業事業用保証会社が間に入りますから」

ローンはその場で承認された。

それからしばらくして四つの鶏舎の建設がほぼ完成したころに、サンダーソン社から夫婦のもとに一通の契約書が送られてきた。

「何だこれは⁉」

手紙を読んだジェイはびっくりしてそう叫んだ。そこには孵化したひよこの扱いから餌の与え方、ありとあらゆる飼育法の詳細がびっしりと書き込まれていたからだ。契約者はここに書かれたサンダーソン社のやり方にそって養鶏事業を行わなければならない。勝手にルールを変えた場合は、会社側が即契約を打ち切ることができる。

卵に対し支払われる価格は、最初に会議室で受けた説明と同じだったが、一か所だけ新しい項目が加えられていた。サンダーソン社からは定期的に夫婦に鶏が提供されるが、その周期は会社側の任意だという一行だ。契約者側に契約内容について不服を申し立てる権利はなく、唯一仲裁という形でのみ可能になる。だがこれは初めから無理な話だった。仲裁申請費用だけで数万ドルかかるからだ。

契約書に書かれていた返送期限は翌日だった。あまりにも理不尽な内容に夫婦はショックを受けたが、契約をやめるにはすでに手遅れだった。四つの鶏舎は完成しており、その建設費用を含めた九〇万ドルの借用書は二人の名義になっている。

「選択肢はありませんでした」

マーガレットはそのときの様子をこう語る。

「まさか後からあんな内容の契約になっているなんて。二人ともこれから入ってくる副収入のことで頭がいっぱいで、お金が入ったらあれもしようこれもしようと、そんなことばかり考えていたんです」

かくして夫婦はサンダーソン社の正式な契約生産者となった。契約内容に書かれている細かいルールを守るのは大変だったが、一年目はまあまあ順調だった。二人の手元には三万ドル入り、マーガレットはひとまず安堵した。このまま頑張れば最初に期待したとおり、悪くない副収入が得られそうだ。

だが、マーガレットの期待は外れることになる。二年目になると燃料費の値上がりで、鶏舎を暖めるプロパンガスの経費が前年の二倍になった。燃料費が値上がりしても、会社側から夫婦に支払われる額は変わらなかった。値上がり分は夫婦の自己負担というわけだ。

そしてまた、最初に説明されなかった別の事態も発生した。数千羽の鶏が大量に飲む水道代だ。年々経費だけが増え、手取りが減ってゆく。夫婦への支払額は相変わらず卵一ダースにつき三七セントだった。会社側が提供する鶏をすべて鶏舎に入れると、羽毛や糞で衛生状態が悪いなか、ぎゅう詰め状態になった鶏たちはストレスからお互いをつつきあう。病気が発生しないよう、会社側から提供された大量の抗生物質を与え、一定の間隔で鶏のくちばしを切らなければならなくなった。劣悪な環境のなかで死ぬ鶏も少なくなかったが、鶏の数が減るとその分会社から支払われる額も減らされる。鶏がこれ以上死なないよう、マーガレットはスーパーのレジ打ちの仕事をやめてフルタイムで養鶏場に入ったが、収入は下がり続け、三年目からは一万ドルを切ってしまった。

デットトラップ（借金の罠）

開始してから四年目に、会社は鶏舎内の設備を新しくするか、もう二つ新しい鶏舎を増やすよう通知してきた。他の契約者と比べて、マーガレットたちの生産量が少ないという理由からだ。これは「トーナメント・システム」と呼ばれる方式で、会社は契約者同士を競わせ、成績の悪い生産者には改善のための新設備導入を要求する。

マーガレットはこのしくみについて、納得がいかないと言う。

「おかしな話です。私たちはいったい競わされているのがどこの誰なのか、本当に同じ会社と契約している生産者なのか、何の情報もないのです」

これ以上手を広げられる余裕はとてもない上に、設備はまだ十分使える状態だったが、ここでもマーガレットたち夫婦に選択肢はなかった。会社は、もし言うとおりにしなければ、契約を打ち切ると言ってきたからだ。

もし夫婦が新たな設備投資を拒否すれば、会社は別な養鶏者と契約するという。不況のなか、収入を求めて養鶏契約者に申し込む希望者の数は、年々増えていた。夫婦は会社側の要求をのむしかなく、まだ使える設備を新しいモデルに変えるために、再び銀行から数十万ドルを借り入れた。

マーガレットたちは、アメリカ国内の契約養鶏業者のほとんどが辿る道を進んでいった。一度契約したら抜けられず、一方的な契約で雪だるま式に膨れ上がる借金にからめとられてゆく。この国の養鶏業者の間で「デットトラップ(借金の罠)」と呼ばれるパターンだ。

ジェイが家具屋のマネージャーの仕事を続けていたのが、唯一の救いだったとマーガレットは言う。

「もし二人とも仕事をやめて養鶏場だけやっていたら、今ごろ借金で首が回らなくなっていたでしょう」

ジェイとマーガレットの例は、アメリカ国内では決して珍しい話ではない。

「養鶏業界は、アメリカの農業のなかで最も独占的に統合されています。非常に多くの契約養鶏者が、大企業の下請けとして借金漬けになっています。彼らの多くは最初に耳触りのよい話を聞き、安易に土地や鶏舎を担保に入れて巨額のローンを借り入れてしまう。そして契約書が来てから、もう逃げられなくなったことを知るのです」

アラバマ州オバーン大学で農業学を教えるロバート・テイラー教授は、アメリカの養鶏業者をめぐる現状をこう語る。

「一九五〇年には養鶏場の九五％は各地域の個人農家が経営していました。規模も小さく、共同体のなかで鶏肉も卵も消費され、地産地消が行われていたのです。ですが七〇年代の終わりごろから政府が農業政策を変更し、株式会社経営が急増していきました。やがてたった四社が全米の養鶏の六〇％を支配するようになり、今では生産者の九八％が、親会社の条件のもとで働く契約養鶏者なのです」

養鶏業界に君臨する四大企業とは、養鶏生産では世界最大のタイソンフーズ（牛、豚、鶏の加工業では世界二位）、次いで養鶏生産世界二位のブラジルＪＢＳ、ペルデュ、そして前述したサンダーソンだ。「インテグレーター（統合者）」と呼ばれるこれら親会社は、過去数十年の間に次々と飼料や種鶏の供給、生産、と畜・加工、流通といった一連の業者を買収し、全機能を傘下に入れた総合事業体になっている。

会社側が、種鶏およびその特許、飼料、抗生物質、運搬用トラック、と畜場、そしてブランド名を所有する一方で、契約者の方は、借金で投資した鶏舎と労働力、糞尿処理、光熱費などの維持費を提供する。

生産から消費まですべてを一つの企業が統合し、生産者を契約労働者にしたことで、生産コストは大幅に低下、その分親会社に入る収益は急増した。養鶏事業で得られる利益のうち、インテグレーターである親会社が得るのは三〇%、契約者に入るのは二〜三%だ。

「親会社があまりにも巨大化し、力を持ちすぎているせいで、契約養鶏者は非常に立場が弱いのです」とテイラー教授は言う。

「一つの業界の中でここまで独占市場になってしまうと、もう何でもやりたい放題です。契約内容は不平等ですし、たとえば多くの場合、最初の説明で経費分をふせて粗利益だけ説明し、相手が舞い上がったところで銀行に連れていく。大体平均して七〇万ドルから一〇〇万ドルのローンを組むことになりますが、この規模だとどんなに理不尽な要求をされても契約者は途中で抜けられなくなり、利子だけでも毎月返さねばと、自転車操業にはまりこんでいきます。大学生が借金漬けになる学資ローンと同じですね」

学資ローンは政府が消費者保護法から外したことで、借金漬けになった若者は自己破産という選択肢を奪われている。

「そしてまた、養鶏業者の多いテキサスやアラバマのような田舎では、自己破産は町中のうわさになってしまう。たとえできるとしても、みな我慢するでしょう」

「契約内容が十分に説明されなかったり、その後も理不尽な要求をのまなければならない契約者を保護する法律はないのでしょうか」

「残念ながら彼らに打つ手はありません。なぜなら彼らは正社員ではなく外部の契約者なので、泣き寝入りするほかないのです」

「彼らのほとんどが同じ目に遭っているのであれば、団体交渉のようなものはできませんか?」

「インテグレーターはそこもちゃんと計算して、同じ地域内の契約者同士を競わせるのです。トーナメント方式によってライバル意識を植え付けられた契約者たちは、団結して交渉しなくなる。たとえ誰かがそのことを言い出しても、ほかの契約者たちはインテグレーターからの報復を恐れてのってこないでしょう。みなお金が必要ですから」

「いつごろからこうなったのでしょうか?」

「ここ三〇年ほどですね。牛も豚も同じようなものです。アメリカ中の農家が、巨大な企業の下請けになってきている。養鶏業界はその代表的な縮図なのです。ここで起きている実態を見ると、アメリカの食と農業に、この間何が起きたのかがわかるでしょう」

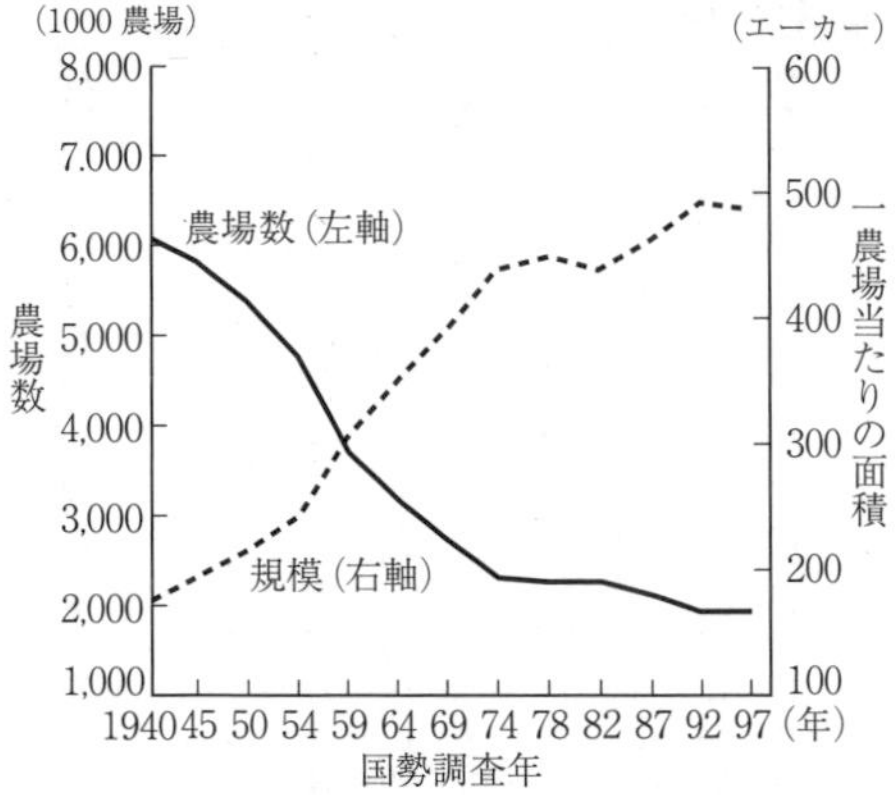

アメリカの農場数と規模の推移(アメリカ国勢調査局データ)

「もっとたくさん、もっと効率よく」

アメリカで食の政策が大きく方向転換し始めたのは、「規制緩和」という言葉で国全体の構造改革を実行した、レーガン政権からだ。

石油価格急騰と異常気象による農業壊滅によって七〇年代に起きた世界食料危機は、アメリカに大きなチャンスをもたらした。当時世界の穀物貯蔵の九五%は、アメリカ民間企業六社が押さえていたからだ。ここからアメリカ政府にとって食料の位置づけは、「自国民の腹を満たすもの」から「外交上の武器」に変わり、石油に続く新たな長期戦略となってゆく。他国への武器になり得る食料輸出力拡大というこの新しい目的に沿って、アメリカ国内の農業政策は、急激に自由貿易仕様へと舵を切っていった。

当時ニクソン政権のウィリアム・ピアス通商交渉副代表はこう主張した。「最大限効率化された大規模農業こそが、世界を率いるアメリカの国力になるべきだ」

「強いアメリカ構想」の中では、家族経営などの小規模農家は、「国の成長の足を引っ張る」存在として邪魔になるというのが、ピアスの持論だった。

ニクソン政権閣僚入り前のピアスの職歴は、全米の穀物取引の約半分を手にする巨大穀物取引企業、カーギル社の副社長だ。

アメリカに与えられた広い土地と技術、そして資本。この恩恵を今使わずして、いったいいつ使うというのか？

伝統的な農業は「時代遅れ」「非効率」と批判され、世界をリードするために「強い農業」を目指すべきだという論調が、国全体を覆っていった。

ニクソン政権で浮上したこの方向性を、「小さな政府」を掲げて誕生したレーガン政権が、次々に実行に移してゆく。

「アメリカの農業は、それまでとはまったく質の異なる、巨大な「産業」へと変えられてゆきました」

そう語るのはミズーリ大学の農業経済学者、ジョン・イカード博士だ。

「自由貿易政策にそって、より多くの製品をより少ない労働力で生み出すことを目標に、農地は集約され、単一栽培に集中化された、大規模な工場型産業になっていったのです。零細農家は消滅し、農業従事者は株式会社経営の下で低賃金・福利厚生なしで雇われる、パートタイム労働者になりました。政府は輸出用大規模産業としての農業政策を推進し始めたのです。農業と効率は、必ずしも相容れないというのに」

だが歴史を振り返ると、産業革命以来、「もっとたくさん、もっと効率よく」が導入された業界は、時差はあれどみな同じ道を辿っている。過去数十年にアメリカで加速してきたこの流れのなかに、農業もまた、確実にのみ込まれていった。

両親がアイオワで養鶏場を経営しているという、ジャック・ビアーズは、こう語る。

「昔、私の祖父がまだ若かった時代には、アイオワで農場経営者と言えば憧れの職業だったそうです。みな、自分たちの仕事が大好きで、育てている家畜が病気になれば、そっと別な小屋に移し家族でかわるがわる看病した。僕は子どものころ祖父にそう聞かされてからずっと農業にあこがれていたんです。大人になったら両親の養鶏場を継ぐつもりで、栄養学の学位をとりに大学に行ったんです」

だがビアーズ家も、一九八〇年代以降全米で始まった効率化の流れから、逃れることはできなかった。

「レーガン大統領が「国際競争力」「強い農業」を掲げ、あっと言う間にこの業界は集中化されていったのです。最初の変化は卸業者でした。どんどん合併や統合を始め、九〇年代になると一気にその速度を上げた。まさに『ザ・ジャングル』の悪夢が、再び戻ってきてしまったの

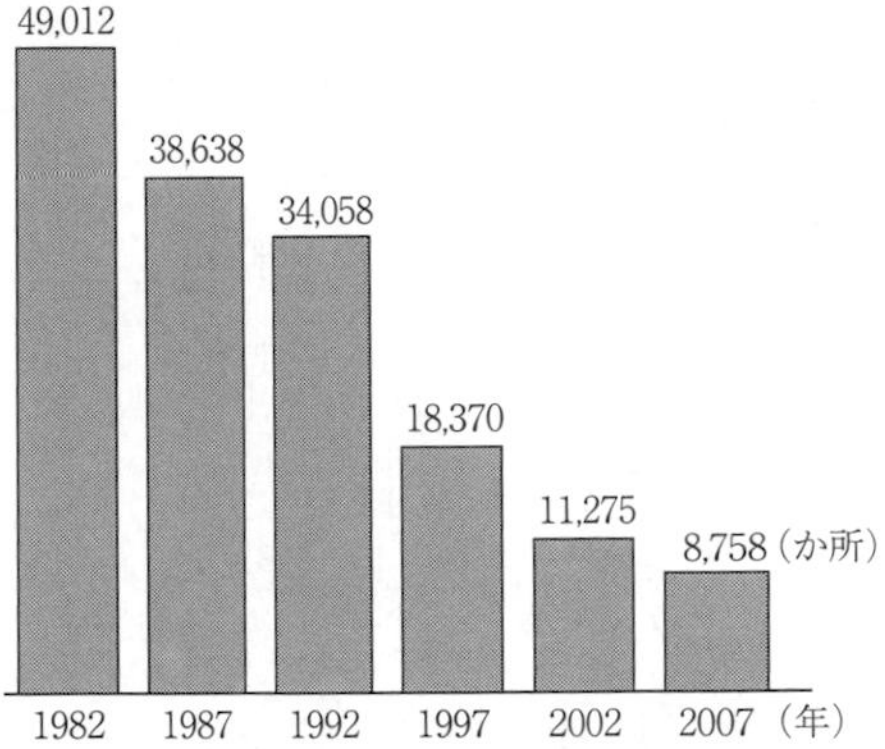

アイオワ州の養豚場数の推移(アメリカ農務省データ)

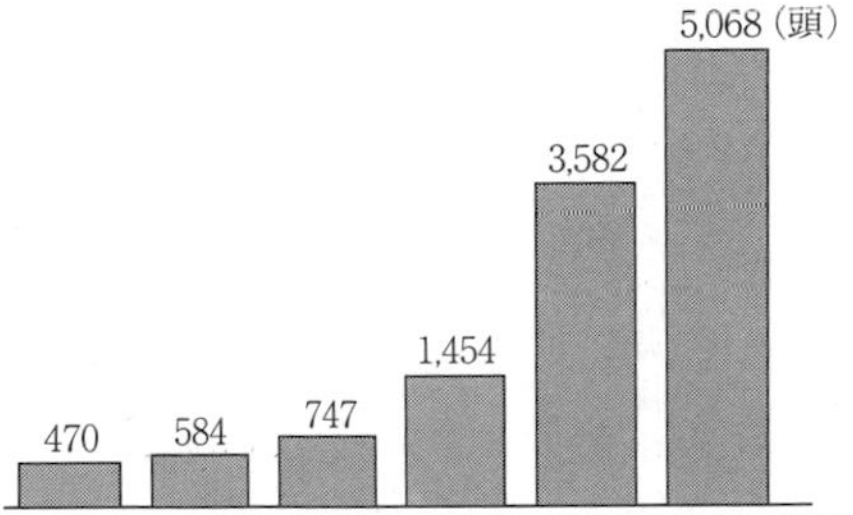

アイオワ州の養豚場から出荷される平均豚数の推移(アメリカ農務省データ)

です」

独占禁止法解禁でよみがえる悪夢

二〇世紀初頭に出版された、社会派作家アプトン・シンクレアによる『ザ・ジャングル』(一九〇六年)は、劣悪で非人道的な食肉加工業界の実態を告発し、一世を風靡した小説だ。これをきっかけにアメリカ国内で大きな論争が起こり、食肉を中心とする食品業界で〈独占禁止法〉が成立している。

レーガン政権は手始めに、この独占禁止法を骨抜きにしたのだった。

「大手食肉企業が、たくさんの卸業者や小売業者を次々に吸収したことで、祖父の経営するような中小農場は価格競争にさらされることになりました。家畜も野菜も、手をかけて育てるほどコストと時間がかかります。でもこの二つこそが、寡占化が加速する競争原理の中で生き残るための最大の障害になってしまう」

突如として「低コスト」「短期大量生産」という、過酷なレースが始まった。

「農業従事者たちは焦りました。卸業者、小売業者が統合され大きくなるにつれ、全米に流通させる力がある彼らと契約しなければ市場に出せなくなってしまった。今までのような手間暇かけたやり方では、効率が悪すぎるとして契約してもらえないのです」

小さな養鶏場はどんどんつぶれ、みな契約養鶏者になっていった。ジャックの両親も維持費が続かなくなり、途中からカーギル社と契約を結んだ。

この傾向はアイオワ州だけでなく、全米にさざ波のように広がっていった。資金力のある大手企業は、合併や統合を繰り返すたびに、食の業界における巨大な力を手にしてゆく。彼らの提唱する「もっとたくさん、もっと効率よく」の価値観に沿って、伝統的な農場は次々に大企業の傘下に組み込まれ、効率の良い工場式農場に切り替えられていった。

骨抜きの食品安全審査

工場式農場はシステマティックで無駄のない、利益拡大方式だ。

牛たちは牧場でタンポポを食べる代わりに、生後半年で何千頭という他の牛と共に移動させられ、コンクリートで囲った柵の中に、身体の向きも変えられない状態で詰め込まれる。豚が押し込められているのも同様の密度と環境だ。太陽光も、新鮮な空気も土も干し草もない。鶏は薄暗いケージや鶏舎にぎゅう詰めに立たされている。

家畜たちがストレスでお互いを傷つけ合ったり自傷行為に走るのを防ぐため、多くの場合、鶏のくちばしや豚のしっぽはあらかじめ切除される。工場式農場では、毎年出荷される家畜約一〇〇億頭の一割から二割強が、ストレスからくるケガや病気で死亡するという。

だが工場式農場で病気になった牛や豚や鶏は、もはや生き物として扱われないのだと、ジャックは言う。

「車の部品工場と同じように、欠陥商品としてあらかじめ予算計画から引かれているんです。その方が、時間も費用も節約できて効率がいい、株主が喜ぶってわけです」

アイオワ州の工場式養豚場(blisstree. com, 2012年3月6日)

「動物保護法に引っかからないのですか」

そう聞くと、ジャックは悲しそうに首を振る。

「こうした大企業は、ロビー活動や政治家や農務官僚への大口献金でしっかりと手を打っています。家畜工場はほとんど動物保護法の適用から外されている。信じられないかもしれませんが、この国ではたとえば劣悪な環境の養鶏場からサルモネラ菌が出ても、国はその鶏舎を閉鎖すらできないのです」

アメリカで一九六〇年代に開発され、一九九七年にWHO(世界保健機関)によって国際標準化されたＨＡＣＣＰ(Hazard Analysis Critical Control Point)は、危害分析を基に、食品の製造工程を適正管理する食品安全保障システムだ。

だがその後一九九〇年代になると、自由貿易推進のクリントン政権下で、ＨＡＣＣＰはモンサント社の顧問弁護士とＵＳＤＡの食品安全担当を行き来していたマイケル・テイラーによって徐々に骨抜きにされてゆく。

一九九六年、ＵＳＤＡはＨＡＣＣＰの義務化を「食肉加工過程」のみとし、と畜部門は企業判断に任せるという改正を発表した。

のちにマイケル・テイラーと共に「食の規制緩和コンビ」と呼ばれたＵＳＤＡ食品安全検査局のトム・ビリー行政官もまた、クリントンの自由貿易推進政策の忠実な信奉者だった。ＷＨＯとＦＡＯ(国際連合食糧農業機関)が合同で世界基準を決定する「食品規格委員会」副会長も務めていたビリー行政官は、ＵＳＤＡが緩めたＨＡＣＣＰ基準を、世界規格化することにも成功する。多くの国の国内法より低い設定のＨＡＣＣＰが国際基準になったことは、人件費の安い中国やメキシコなどの途上国に工場を移し始めていた多くの食品大企業にとって、有利な海外展開を約束してくれた。

アメリカの養鶏場における安全規制緩和の開始は、一九八六年のレーガン政権にさかのぼる。

一九九一年までに財政赤字をゼロにするという〈グラム・ラドマン法（Gramm Rudman Hollings Act）〉が通過した際、畜肉安全審査予算が大きく削減された。それまで鶏肉加工工場では、加工される直前の鶏を安全審査官がチェックして、病気や死亡している鶏は加工前に取り除かれていた。だがこの安全審査プロセスが工場ラインのスピードを下げることに不満を抱いた業界は、議会に対しロビー活動を開始する。その結果この法改正と共に、この審査官の人件費はあっさりと廃止された。国内のマスコミは沈黙しており、何も知らされない消費者からは、反対の声も上がらなかった。

前述したジャックの母親、アンジー・ビアーズは、このときのことをこう語る。

「あのときのマスコミは、大規模スーパーの普及と、年々安くなる肉の値段についてばかり大きく取り上げていました。国民は、肉が安く手に入ることをとても喜んでいたからです。多くのアメリカ人にとって、値段が下がって毎日肉を食べられるようになることは、自分たちの生活レベルが向上した証だったのです。綺麗にパックされた肉をスーパーで買うのが当たり前になり、誰も農場で起きていた変化など気にとめませんでした。そして肝心の肉の安全性については、当然国がしっかりチェックしているだろうと、信じて疑わなかったのです」

一九八六年以降、アメリカの鶏加工工場では、加工前の鶏の死亡および病気に関する審査は義務づけられていない。

二〇〇一年にジョージ・W・ブッシュが大統領に就任すると、家畜業界はさらに恩恵を受けることになる。工場が毎年排出する、化学物質の混じった糞尿などの廃棄物約一二億トンは、地域社会や周囲の川、地下水などへ深刻な影響を与えるが、ブッシュ政権は環境庁に地下の水質検査義務を廃止させ、家畜廃棄物被害に対する企業責任を免責した。

工場内での動物の扱いについては、国内の動物愛護団体が何度も工場労働者として潜入し、その非人道的な内情を、記事や隠しカメラ映像で暴露してきた。

こうした内部告発が、企業側に変化を起こしたケースも少なくない。

二〇一一年八月に告発された、年間出荷数三億個を誇る全米最大の鶏卵工場「スパボー鶏卵社事件」は、国中の消費者に衝撃を与えた。工場内部で労働者が笑いながら鶏を虐待している映像が、ゴールデンタイムのニュースで放映されたのだ。

ニュースを見た国民はその非人道的行為の数々にショックを受け、顧客からの電話が殺到した大口契約者のマクドナルド、ターゲット、ウォルマートは、即座に同社との契約を解除した。

通常家畜工場の内部に部外者は入れず、入場する際はカメラも携帯も一切持ち込みは禁止されている。だが動物愛護団体による体を張った試みはその後もやまず、企業イメージと売り上げに影響する国民の嫌悪感拡大は、株主の怒りに触れ始めた。

そこで業界側は、米国立法交流評議会(American Legislative Exchange Council＝ALEC)を通してこの問題を処理することにした。州議会議員と企業幹部が秘密裏に法案作成に関わり、実質、業界ロビイストの役目を果たすALECは、企業にとってはとても重要な役割を果たしている(第5章参照)。

ALECは監視の目を光らせる動物愛護団体から家畜工場を守るため、すでに五つの州が導入していた〈HR0126(通称、反内部告発者法)〉を提案した。なるほど、これなら二度と同じ問題に悩まされることはないだろう。HR0126が施行されれば、今後工場内部の無断撮影は企業秘密漏洩罪として違法になる。早速アーカンソー、カリフォルニア、インディアナ、ネブラスカ、ペンシルバニア、テネシー、バーモントといった州が、導入手続きを開始した。家畜工場のコンクリートの壁は再び固く閉ざされ、経営陣と株主たちはホッと胸を撫でおろした。

二〇一三年四月になると、食品業界がブッシュ同様に巨額の献金で支援したオバマ大統領からも〝朗報〟が舞いこんだ。新しい財政支出削減リストの中で、「養鶏場安全検査官の二五%削減」を提案するという。USDAの検査官八〇〇〇人の解雇は、国の赤字にとっては三年でわずか九〇〇〇万ドル(約九〇億円)の支出削減に過ぎないが、検査官が減らされることは企業側に大きなメリットになる。

機械化と規模拡大が進むほどに、家畜工場にとって安全審査官の存在はネックになりつつあった。一九七〇年代に毎分四六羽だった鶏のと畜スピードは、今や技術の進化で一四〇羽にまで上がっている。養鶏業界はさらにこの処理スピードを、毎分一七五羽まで上げようと計画していた。これにより年間で、二万六〇〇〇ドルの利益増額がみこめる。ただ一つの障害は、一人の検査官が肉眼で一七五羽の処理をチェックするのが不可能であることだった。

ウィスコンシン州の養鶏場, 3万6000羽収容(Cornucopia Institute)

だが国が人件費を削るとなれば、その結果見落としが出ても企業側の責任は問われなくなる。検査官の人件費削減で、食肉業界におけるオバマ大統領の評価はますます高まった。

寡占化によって規模が大きくなるほどに、企業の政治への影響力も拡大してゆく。公共政策が、部外者によるイメージダウンから企業を守り、利益拡大を後押ししてくれるようになる。年間数十億ドル市場の資金力を持ち、急速に成長を続ける業界に、もはや買えないものはなかった。

復活した農奴制

今では当たり前のように成長促進剤を注射される養鶏工場の鶏は、牛や豚に比べ病気や死亡率が二八%と高いのが特徴だ。

「短期間に大量の肉が取れるこのやり方は、食肉業界の常識を変えました。今、成長剤のせいで工業式養鶏場の鶏は体重が二五年前の八倍です。内臓や骨の成長が追いつかず、大半が六週間目で足が折れたり肺疾患になってしまう。でも効率とビジネス利益という観点で見れば、これはすごい発明ですよね」

だとすると、農家の収入にもそれだけの変化があったのだろうか。

映画『フード・インク』(ロバート・ケナー監督,2009年)より

ジャックは首を振る。

「寡占化は株主至上主義です。その最大の特徴は、末端の農家の取り分をより少なく、客が払う分はより大きくなり、中間業者である大企業群にのみたっぷり利益が出るしくみです。

たとえばケンタッキーフライドチキンで、一二ピースのチキンを買うと、客がレジで払うの

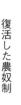

は二六ドル。ここからケンタッキーフライドチキン社に二一ドルが入り、その下にいる加工業者に四ドルが入る。うちのように実際鶏を育てている養鶏場には、三〇セントしか入りません」

ジャックの実家の養鶏場に入る年収はわずか一万五〇〇〇ドル(約一五〇万円)。大手と契約するこの種の工場式養鶏場の中では、平均値だという。

それでも、大手のブランドや食品加工業者と契約しなければ、採算が合わず廃業に追いこまれるため、農家は黙って続けるしかないのだ。

「私はこのことで父と何度も喧嘩をしました。非人道的な飼育をして、ほとんど収入は入らず借金がかさむばかりだ。親会社を訴えようと言っても、父はいつも黙って首を振るんです。巨大な会社と戦って勝てるわけがない。それに設備投資分のローンは残るのだから、もう少し続けるしかないじゃないかと。大企業の顧問弁護士は百戦錬磨だし、その後の報復が怖いから、養鶏契約者たちのほとんどは泣き寝入りです」

「設備投資のローンは莫大なんですね」

「そうです。養鶏だけではありません。牛も豚も数社の大企業がすべてを所有し、農家には何の権限もない、同じモデルです。同じ町で祖父の代から養豚場を経営しているバリーの家は、契約した親会社の指示で六万頭の豚を飼育するために八〇万ドル（約八〇〇〇万円）の設備投資ローンを組みました。彼はいつももっと効率化しなければとぶつぶつ文句を言っています。でもこの国ではすでに上位三％の大規模養豚工場が全米生産の五〇％以上を占めている。今より多くの豚を詰め込んでも、親企業の利益が増えるだけで、彼に入る金は増えないのです」

「豚の数を増やすと、人件費はどうなりますか」

「数を増やすと設備投資がかさむ分、人件費を減らさなくてはなりません。過去数十年間で、こうした農場はすべて大企業によってマニュアル化されたので、スキルのない労働者を最低賃金で雇いますね。

家畜工場は大量に使われる抗生物質や糞尿で衛生的にもひどい環境です。だから誰もやりたがらず、低賃金・組合なしのメキシコ系移民労働者が雇われる。彼らはこの国の農業労働者の八割を占めています」

ＵＳＤＡの報告によると、一九八九年から二〇〇五年の間に食肉処理のスピードが五〇％上昇する一方で、労働者の賃金や人数はまったく追いついておらず低いままにされている。

「そういう労働者はいつでも見つかるのですか」

「そうとも限りません。うちのような中小規模の養鶏場では、求人を出しても地元の人間はやりたがらない。移民労働者もいつも簡単に見つかるわけじゃない。そういうときは契約している大企業が、地元自治体の刑務所から囚人を連れてきます。彼らは労働法の適用外ですから」

勤勉で英語堪能、組合もなく福利厚生も要らず、労働条件には一切文句を言わず、最低賃金の一〇分の一ほどで雇用できる囚人労働者は、今全米の企業からひっぱりだこの人材だ。二〇〇一年の同時多発テロ以降、国の最優先政策になった「治安と安全保障」のおかげで各州の厳罰化が進み、囚人数は猛スピードで拡大している。

雇う側からすると、囚人労働者は他の労働者よりもましだという。

「他の精肉加工工場ではホームレスや移民労働者を使っています。ですが劣悪な低賃金労働に従事する貧しい彼らが来ることで、その地域の社会的コストはふくれあがってしまう。治安が悪くなり、メディケイド（低所得者用医療制度）やＥＲ（緊急救命室）の未払い額が上昇するからです。うちのように囚人労働者を雇えば、少なくとも地域住民ではないからそういう問題は起こしません」

一五年たってもいまだに初期のローンが返済できないでいるジャックの母、アンジー・ビアーズは、自らの状況に関してこう語った。

「ずっと昔、農場は私のなかで甘いイメージでした。緑が広がる牧場や、動物たち、良きアメリカの時代の象徴のような風景ですね。テキサスで小さな農場をやっていた私の祖父は、動物たちを愛情こめて育て、充実した日々を送っていました。でも今私がやっているのはなんなんだろう。ここにあるものは、みんな誰か他の人のものなのです。私たちは場所と安い労働力を提供するだけの契約社員で、大企業への莫大な借金を返すために、延々と働き続けるだけなのです。これではまるで、現代版農奴制でしょう」

一九八〇年代以降、アメリカ国内の牧場主と農業従事者の自殺率は急激に増えている。

借金だらけの養鶏場をジャックが継ぐことはないだろう。感染症防止の抗生物質や肉の赤色を出すためのヒ素を添加した飼料とそれを食べた鶏たちの糞尿が蒸発し、鶏舎の中はとても空気が悪くなる。舞い上がる羽毛と化学物質を吸い込んだジャックの母は、数年前から妙な咳が出るようになった。だが彼女は医者に行こうとしない。借金の支払いに追われて民間医療保険を解約し、無保険だからだ。

「アイオワで規模を広げ、工場式に切り替えた友人の農家も少なくありません。これだけ独占市場になってしまったら、どのみち伝統的農業や中小農家が生き残るチャンスはないからです。でも何だか、情熱が出てこない。農場そのものに対する憧れのイメージはすっかり変わってしまいました。変な言い方ですが、大学時代に生活費を稼ごうと働いた、ウォルマートの店員の仕事と何が違うんだろう？　作っている人間と、消費している人間がお互い顔が見えないのですから」

別な理由からやり方を変えた農家もいる。ミズーリ州ケンシュタインで養豚場を経営していたジャックの友人ルース・クレマーは、やはり効率と大量生産を求めて二〇〇〇年代の初めに工場式に切り替えた一人だ。狭いコンクリートの柵の中に数千頭の豚を詰めこむと病気が発生し、すぐに大量の抗生物質投与が始まった。ある時ルースは注射の最中に暴れた一頭の豚に肘を噛まれる。止血したものの出血が止まらず、病院に行くと傷口が化膿していた。医師はルースに抗生物質を投与したが、なぜか薬は効かず、傷が治るまで何度も薬を変えるはめになった。

アメリカの抗生物質の７割は家畜に使用されている(PEW Health Initiatives.com)

ルースはそのときのことをこう語る。

「傷を見せたときの医師の、未知の邪悪なものを見るような表情を見た瞬間、背中に冷や汗が流れました。自分自身が、数日おきに抗生物質を投与される豚になったような気持ちがしたからです。そのときこう思いました。「抗生物質の耐性というのは本当だった。いったい自分が今大量に出荷しているのは、豚なのか？　それとも何か得体のしれない、未知のものなのか？」と」

傷が治った翌年、ルースは養豚場を工場式から元に戻し、一切の抗生物質投与をやめた。すると薬剤費用だけで年間一万三〇〇〇ドル（約一三〇万円）の削減になり、豚たちに病気も出なくなったという。

カリフォルニア州サンラファエルにある非営利農業監視団体（Humaine Faming Association）のデータによると、アメリカ国内では、この三〇年で三〇万軒の農家が消滅している。家畜の販売量増加に反比例して、家畜を育てる農家の数はすさまじい勢いで減っているのだ。

もう一つの波——遺伝子組み換え作物

「家畜工場と同様に、八〇年代以降アメリカの「食」を大きく変えたのが、複数の生物遺伝子を人工的に合体させ、まったく新しい遺伝子構成に組み換える遺伝子組み換え（GM）作物だ。

アメリカでは一九九六年からこのGM技術を使った種子の発売が開始され、現在大豆、トウモロコシ、アルファルファ、綿花（コットンシード）、カノーラ（食用油用）、テンサイなどが栽培されている。農作物におけるGM作物比率はわずか二〇年ほどで急激に拡大し、現在米国内で作付けされているテンサイの九五%、大豆の九三%、トウモロコシの四〇%がGM作物だ。また、食品生産産業組合(Grocery Manufacturers Association＝GMA)のデータによると、アメリカ国内で販売されている食品および加工品の九割はGM作物が原料、アメリカ人の食生活に占めるGM作物の比率も、年々上昇している。

だがGMは新しい技術であるため、長期にわたる環境や人体への影響を検証した実験結果が確立されていない。そのため安全性を巡る議論は今も続いており、現在世界では三五か国が、GM作物の輸入を規制または全面禁止措置中だ。

アイオワ州の農業従事者のラッセル・リードは、多くのGM作物が耐性を持つ、「ラウンドアップ」という商品名の除草剤についてこう語る。

「「ラウンドアップ」はGM種子最大手のモンサント社が販売する、世界で最も普及しているグリホサートを主成分とする除草剤です。モンサント社はこの除草剤を、これに耐性を持つGM種子と必ずセットで販売する。農家がこの除草剤を散布すると、GM種子以外の雑草だけが枯れるしくみです。ですがヨーロッパではすでにこの除草剤は発がん性を有し、奇形、喘息発症を誘発するなど安全性に問題があるとして、禁止されています。さらに一九九六年にはニュ

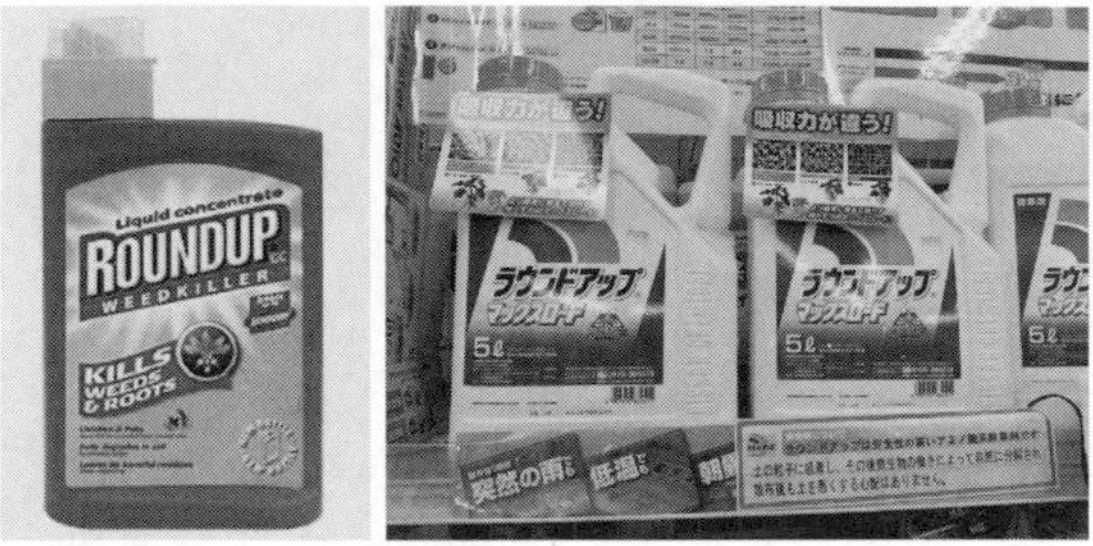

左：モンサント社の除草剤「ラウンドアップ」
右：日本で販売中の「ラウンドアップ」

ーヨークで、二〇〇一年にはフランスで、それぞれ消費者団体や環境活動家たちが、モンサント社のこの除草剤に対し訴訟を起こしているのです」

それは「土に落ちると無害化して土壌に残らない」というラウンドアップの「生分解性」ラベル表示が虚偽であるという内容だった。結果はどちらも裁判所がモンサント社側に「虚偽広告」の判決を下している。

「それだけではありません」と、ラッセルは続けた。

「アルゼンチンでも数年前に、科学者のチームが農業で実際使用されるよりも低濃度のラウンドアップ使用と先天異常の因果関係を発表して問題になりました。きっかけになったのは、ラウンドアップに耐性を持つGM大豆が広範囲に栽培されている、アルゼンチンの農村で現れた異変です。遺伝子を組み換えられたGM大豆はこの除草剤の影響を受けないため、それ以外の雑草を殺すために毎日飛行機で大量に散布するのです。するとその地域だけ、先天異常率が急上昇してしまった」

「ですが」と私は聞いた。

「アメリカを始め、今すでに市場に流通しているのは、このラウンドアップ耐性のＧＭ作物ではないですか」

「はい。アメリカ国内で栽培されている大豆の約九割がこのグリホサート耐性ＧＭ大豆で、日常的にラウンドアップが散布されています」

「政府は何も対応しないのですか」

「ＥＰＡ（環境保護庁）はこの一連の研究結果や訴訟判決をすべて無視しています。アメリカ本国でラウンドアップは、相変わらず国により「安全」のおすみつきを与えられているのです」

すでに特許期間が切れているラウンドアップは、その後も商品名を変えたジェネリック版が、今現在アメリカ国内だけでなく、日本にも流通している。

「それにＧＭ作物については、学者や研究グループが危険性について発表をするたびに、なぜかことごとく激しい攻撃を受けるのです。業界の強い力が働くのかどうか知りませんが、警告を発した学者たちはみな同じように、社会的に葬られました」

ラッセルの言葉は、一九九八年にスコットランド農業省の要請でGM作物の安全性に関する世界初の科学的実験を行った、アーパッド・プースタイ博士を思い出させる。

遺伝子研究とバイオテクノロジー分野の権威であったプースタイ博士は、三年にわたり遺伝子組み換えジャガイモをネズミに与え、ネズミの免疫システムに異常が生じることを発見した。だがこの実験結果を公表した直後、博士は研究所を解雇される。実験についてマスコミに話すことや研究チームメンバーと接触することは禁じられ、実験データはすべて没収された。さらにマスコミや政府高官、学者グループなどが同研究を激しく批判、最後は権威あるイギリス王室協会までが博士の研究を非難する声明文を出してきた。だが後になってこれは、当時のブレア首相がかけた政治的圧力であったことが、英国のジャーナリストによって暴露されている。

二〇〇一年、英国の科学雑誌『ネイチャー』に、遺伝子組み換え作物がメキシコの在来種にいかに悪影響を及ぼしているかについての論文が掲載された。

たちまち筆者である研究者あてに数千通の中傷メールが殺到、あまりの数にパニックになった『ネイチャー』は翌年の号で論文を取り消したが、後になってそれらのメールが、モンサント社が雇ったPR会社によるものだったことが判明している。

「この実験結果は爆弾だ」

「二〇一二年九月にフランスのカーン大学が発表した実験結果が、今かなり物議を醸しています」とラッセルは言う。

「これはGM作物の安全検証実験としては最長の二年間、しかもスポンサー企業の資金援助がつかない形で行われた画期的な実験でした」

カーン大学のギレス・セラリン博士とその研究チームが行った、ラットに対する遺伝子組み換えトウモロコシの影響に関する長期実験結果は、食と化学薬品の有害性に関するフランスの科学専門誌『*Food and Chemical Toxicology*（食品と化学的毒物学）』に掲載された。

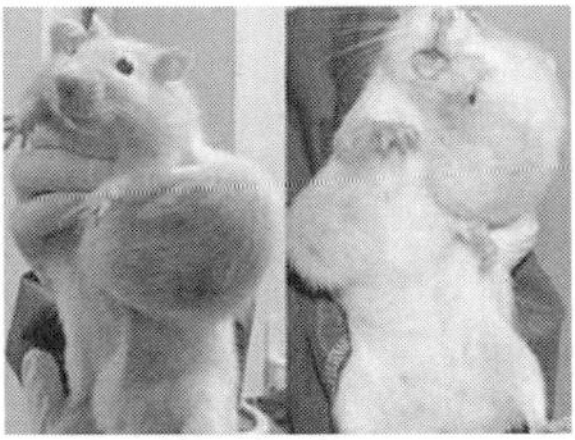

カーン大学が公開したラットの実験結果の写真（CBS news, 2012. 9. 21）

プースタイ博士を始め、今までGM作物に対してマイナスな研究結果を公表しようとした研究者たちがさまざまな攻撃を受けていたことから、セラリン博士は、この研究を慎重に進めていったという。

それまでGM作物の安全性に関する実験期間はどれも九〇日程度の短期、財源は利益団体であるバイオ企業から出ている。

そこでセラリン博士は、実験費用の約三〇〇万ユーロを、フランス科学研究省や小売業財団、社会党教育研究センターや、遺伝研究情報委員会などから集めることにした。

さらに博士は念のため研究内容をすべて暗号化し、盗聴防止のためにチームメンバーには電話を禁じるなど、徹底的に情報の漏洩を防いだ。実験に使う遺伝子組み換えトウモロコシはモンサント社の特許取得種で勝手に使用ができないため、カナダの小売業者を経由して秘密裏に購入された。

実験用ラットは二〇〇匹。最初のグループにはGMトウモロコシ(除草剤とセットで栽培されたものと、そうでないもの)を異なる分量(一一%、二二%、三三%)で配合した三種の食事を与える。別の三グループには、GMトウモロコシ抜きでラウンドアップ除草剤のみを、やはり三種の分量で与えてゆく。雌雄各二〇匹からなる九つのラットグループ(GMトウモロコシを与えられたグループ三つ、GMトウモロコシとラウンドアップの両方を与えられたグループ三つ、ラウンドアップのみを与えられたグループ三つ)が、GMトウモロコシに最も近い除草剤不使用の非遺伝子組み換えトウモロコシを与えられた対照グループと比較された。

一年以内に、GMトウモロコシを与え続けたラット群が次々に発病し始める。メスには三か月目で乳ガンが、オスには二〇か月以内に肝臓と腎臓の機能障害が生じ、やがて死んでいった。

死亡率は普通のトウモロコシを与えていたラット群の二倍から五倍だったという。

今回の実験でラットに投与されたGMトウモロコシは、モンサント社によって全米で栽培され、家畜飼料のほか、人間が食べる朝食シリアルやコーンチップスとしても広く流通している品種だ。この実験結果が同誌に掲載されたとたん、世界中から嵐のような反響が起こった。

コリーニ・レペイジ元フランス環境大臣はこの状況をこう表現した。

「文字通り、爆弾が投げこまれたのだ」

学会に入り込むバイオ企業関係者

すぐに「ニューヨーク・タイムス」紙には推進派が反論を寄稿、「ラットの頭数が少なすぎる」「マスコミのイベントだ」「純粋に科学とは言えない」などの批判が掲載される。

同論文を掲載した『*Food and Chemical Toxicology*（食品と化学的毒物学＝FCT）』誌には、セラリン博士の研究結果を批判する大量の投書が送られてきた。だが編集部が調べてみると、差出人はみなGM業界と利害関係を持つ人物や団体、ロビイストなどだったという。FCTの審査は厳しいことで有名だ。刊行前には何人もの査読者が数か月にわたり方法論と評価の妥当性を検証し、その上で公開される価値があるとされたものだけが掲載される。

だがこの論文が掲載されてから数か月後の二〇一三年初め、『FCT』編集部は急に新しい人事を発表した。新しく新設されたバイオテクノロジー部門の担当編集員として就任したのはネブラスカ大学で食とアレルギー研究を専門とするリチャード・グッドマン教授だ。それまで『FCT』と関係のなかった外部の人間が、いきなり編集委員の座に就くのは異例の人事だった。これにより今後『FCT』のバイオ部門に掲載される論文の選定については、編集委員であるグッドマン教授が権限を持つことになる。

このグッドマン教授は、一九九七年から二〇〇四年までの七年間モンサント社に勤務、GM作物のアレルギーおよび安全性検査の担当者だった。グッドマンが今も深いかかわりを持つ「国際生命科学学会」は、モンサント社を始めGM作物や農薬販売企業が資金を出し、独自の環境リスク評価法を政府規制に適用させる取り組みを行っている。

『FCT』の別な編集委員とともに、学術誌『*Transgenic Research*(トランスジェニック研究)』にセラリンチームの研究結果を批判する論文を発表したのは、同誌編集委員のポール・クリストウだ。

クリストウは以前にも、メキシコで使用されたGM作物の危険性を警告するバークレイ大学の学者たちによる研究結果を酷評する論文を発表している。彼は今回の論文についても、セラリンチームの実験はデータ不足で正確な評価がされていないとし、巨大な腫瘍が発症したラットの写真をネット上で公開するのは不適切だと批判した。

クリストウが以前勤務していたアグレスタス社はすでにモンサント社に買収されており、同社が特許を所有するGM作物製品には、クリストウの名前が開発者の一人として登録されている。

「残念ながらアカデミズムの世界には、業界の御用学者がたくさん入り込んでいます」

CFS（食品安全センター）のダグラス・シャーマン博士は言う。

食品安全センターのダグラス・シャーマン博士

「アカデミズムは、しかるべき場所に論文が掲載されなければ認められない世界です。業界側はその道の権威である学者が発表する批判論文が、世の中に与える影響の大きさをよく知っている。GM作物の安全性に警鐘を鳴らす論文が、やはり業界の息のかかった著名な学者によって事前に巧妙に手を入れられ、掲載が取り消されたケースもありました」

「素人にはその違いを見分けるのは難しいですね」

「ええ。でも研究費のスポンサーや、その人物の職歴をたどってゆけば、見えてくる裏があるでしょう」

「GM食品」と「原発」に共通する安全神話

「遺伝子組み換え食品の安全性は、科学で証明できますか」

「そこが難しいところです。完全に証明することはできないでしょう。なぜなら食に関しては、長い期間食べ続けた結果に出た影響から判断するしかないからです。そして遺伝子組み換え作物は放射性物質と同じで、長期にわたる微量の摂取による影響はずっと無視され続け、きちんと正確には研究されていません。アメリカ政府はGM作物を、他の有機物と実質的に同等だとして、「強固な安全神話」を作り上げてきました。開発企業はGM種子の特許を持っているため他の科学者が種子を実験に使うことを許可しません。それでいて不思議なことに、リスクを指摘する研究結果を不備だと批判する人々が、その後改めて適切な形で再実験をすることは決してないのです」

長期にわたる影響を調査するには、GMのラベル表示が必要だろう。

だがアメリカ政府は依然として、表示は売り上げにマイナスになるという業界からの要請を受け、「実質同等と見なされるので」表示義務は要らないと言い続けている。

「福島第一原発の事故後、一旦停止した原発の再稼働に反対する世論が高まると、原発を止めれば電力が不足するという論調が、マスコミを通して国中に流れました。そして、政府はそれを理由に二つの原発の再稼働許可を出したのです」

「GM作物もそれとまったく同じです。こちらはアメリカ人が好きな人道支援を切り口に、途上国の飢餓を救うGM作物という大規模なキャンペーンとともに導入されたのが始まりでした。その後GM作物ラベル表示義務化の是非を問う住民投票が行われるたびに、企業側は義務化すれば食品価格が上がるという根拠のない恐怖をばらまき、人々を否決の方に誘導するのです」

「推進派と反対派の議論の場はありますか」

「これも原発議論と同じで、GM作物推進派は反対派の意見をまるっきり無視するか、非科学的だ、情緒的だ、といってばっさり切り捨てます。NPOを装ったロビイストがたまにテレビに出てきますが、論点をずらしたり、専門用語を多用して視聴者にわからないようにしたり、反対派の言動を過激だと騒ぎ立て被害妄想のようなイメージを植え付ける、といったテクニックを使う。これで一般の国民はどっちもどっちだとして煙にまかれてしまうのです」

つぶされる住民投票

二〇一二年一一月。巨額の資金レースと化した大統領選挙が白熱する一方で、アメリカの消費者にとってもう一つの重要な住民投票が、カリフォルニア州で行われていた。遺伝子組み換え食物の、ラベル表示義務化の是非を問う法案、「プロポジション37」だ。

同法案は現在二三州で議論されており、これまでもコネチカット州やオレゴン州、バーモント州などで提案されているものの、いずれも否決されている。

同法を巡る議論は、賛成派が口に入れるものについて、消費者の知る権利を主張する一方で、反対派は「危険性の指摘は非科学的」だと批判する対立構造だ。

はたしてカリフォルニア州での結果は、賛成四四・八％、反対五五・二％で否決された。

可決されれば全米初のGM食品ラベル表示義務化が成立したこの法案に、モンサント社を始め大手食品・バイオ企業は「表示義務による手間と人件費で食品価格がはねあがる」とした大規模な反対キャンペーンを展開した。八〇〇〇万ドル（約八億円）を投じたモンサント社を筆頭に、企業側が反対キャンペーンに費やした総額は四六〇〇万ドル（約四六億円）、賛成派の集めた九二〇万ドル（約九億二〇〇〇万円）の約五倍の資金をかけている。

反対派の「非科学的」であるという主張は間違っていない、と言うのは、民主党でニューヨーク州選出のルイーズ・スローター下院議員だ。

「実際、遺伝子組み換え食品の人体や環境への影響は、まだ科学的に解明されているとは言えません。長期にわたる実験がされていないことから、因果関係が証明できないのです」

ただし、とスローター議員は続ける。

「今問題になっている住民投票の本質は反対派の主張とは別のところにあるのです。遺伝子組み換え食品の影響がどうかということではありません。問題ないと思う人もたくさんいるでしょう。実際この国で売られている大豆、トウモロコシ、綿などの七割は遺伝子組み換えですし、加工食品の九割は原材料が遺伝子組み換えですからね。そうではなく、これは消費者が体に入れるものを選ぶ権利を持つかどうか、国民の主権の問題なのです」

サンフランシスコ在住の環境ジャーナリスト、デイジー・ルーサーは、安全をチェックするはずの政府が国民より企業の側に立っていると厳しく批判する。

「アメリカ政府の規制機関は企業側と癒着しています。中立な立場の第三者機関による安全性の検証もされず、国民には選択肢も与えられない。これではアメリカは遺伝子組み換え作物の人体実験場でしょう。他の多くの分野と同様、ここでも巨大企業が米国司法を超越した力を持ってしまっている。カリフォルニア州の住民投票の結果は、パンドラの箱を開けてしまったのです」

彼女の言葉は、過去三〇年に猛スピードで進んでいった遺伝子組み換え食物をめぐるアメリカの状況を表すには、控えめすぎる表現だろう。

パンドラの箱は、別の手で、とっくに開けられていたからだ。

合言葉は「言わざる・聞かざる」

一九九二年、ブッシュ政権のダン・クエール副大統領は、新しい農業政策を発表した。

「バイオテクノロジー関連製品は、実質的に一般製品と同じと見なし、特別な規制は必要としないものとする」(USDA Food Derived from New Plant Varieties, Federal Register 57, No. 104, 1992)

その安全性と基準設定についても特に専門機関は設けず、ＵＳＤＡやＦＤＡ(食品医薬品局)、ＥＰＡやＮＩＨ(国立衛生研究所)といった、従来の政府機関に任せられることになった。

(1) 挿入遺伝子の安全性(急性毒性)

(2) 挿入遺伝子により産生される蛋白質の有害性の有無(急性毒性)

(3) アレルギー誘発性の有無

(4) 挿入遺伝子が間接的に作用し、他の有害物質を産生する可能性

(5) 遺伝子挿入による主要成分への重大変化の可能性

政府はこうした審査を、GM開発企業側が提出した書類のみで十分だとし、第三者機関による試験は不要とした。新製品が出るたびに、企業側が自己申告書類を出せばほとんど承認されるシステムだ。簡略化されたこの審査方法には専門家から反対の声が上がったが、このやり方はレーガン政権以降アメリカが舵を切った「小さな政府で企業の国際競争力に貢献する」政策に、ぴったりと合致していた。新製品の開発を遅らせる要因が政府の手で取り除かれれば、GM作物ビジネスが花開くための門は、よりスピーディに開かれてゆくからだ。

カーター政権下でUSDAのスタッフだったクレア・カミングスは、この法律が今でもGM開発企業に支配権を与え続けていると批判する。

これ以降アメリカでは、GM作物を規制する法律は一本も成立していない。

クレアは今もアメリカ政府のGM作物安全審査基準が、肝心の「遺伝子」ではなく一九六〇年代の「化学」や「バクテリア」用の審査法を使っていることを問題視している。

「さらに悪いことに、政府の安全審査は、未だに開発企業の自己申告データを、書類チェックするだけなのです。FDA(食品医薬品局)のある職員は、GM作物の安全チェックについてこんな表現を使っていました。「言わざる、聞かざる(Don't Tell, Don't Ask)」。開発企業から問題を申告されない限り、口をつぐんでいろということです」

GM作物は、在来種と見た目や栄養素が変わらないことから「実質的に同等に」扱われる。

この定義は、企業によるGM作物ブームを一気に加速させ、その後のアメリカ史、そして世界における「食」の位置づけを、大きく変えてゆくことになる。

第2章

巨大な食品ピラミッド

「オーガニックチキン」はどこまでオーガニックなのか？

垂直統合ブームがやってくる

レーガン政権下の独占禁止法規制緩和がもたらした急速な垂直統合ブームは、その後数十年で、アメリカの農業・食の業界を大きく変えてゆく。垂直統合とは、生産工程の異なる企業による提携・合併・買収などによって、競合者がいなくなり、市場が統合されてゆくことをさす。かつては巨大企業の産業独占を阻止するために、アメリカでは禁止されていたが、ここに来て大きく緩和されてしまう。

その結果、大手の食料品店が、地域の小売業者や、競争相手である郊外の会員制大型ディスカウントショップなどを次々に買収、傘下に収め始めた。

実際の目的は企業側の利益拡大だったが、表向きのスローガンである「全米の食卓に安くて新鮮な食べ物を！」という言葉には魅力がある。地元の小売店や直売店よりはるかに安く選択肢も豊富になった食品の山は、不便な地方都市に住む多くの住民を夢中にさせた。

ノースカロライナ州サバンナに住むロザリン・ハンナは、地元に大規模なスーパーができたときのことをこう表現する。

「最初に店に足を踏み入れたときは、夢を見ているようでした。たくさんの商品が並んでいて、しかも嬉しいことに全部値段が他より安い。地元じゃ手に入らない野菜や果物もあるんです。たとえ収入が少なくても、選択肢が増えるだけでこんなに優雅な気分になれるんだ、なんて便利な世の中になったんだろうと思いました」

この買収劇を追い風に大成功を収めたのは、一九八八年の創業以来わずか一二年で全米小売業のトップに躍り出た、大手スーパーマーケット「ウォルマート」だ。すさまじい勢いで行われたこの業界再編が二〇〇〇年に収束したとき、競争に敗れた無数の小売店の屍の上には、一人勝ちしたウォルマートが君臨していた。

同社はその後国内だけでなく国外での合併や買収も進めさらに規模を拡大、二〇一三年度には全米に四七四〇店舗を展開し、純売上高四六六一億ドル(約四六兆円)、全米で毎週延べ一億人、世界で七二億人の顧客が訪れる、世界一の小売業社となった。

今では売り上げの半分以上を食品が占め、全米のどこかで食品が買われるたびに、三ドル中一ドルがウォルマート社のポケットに入るという(*New York Times*, April 24, 2011)。

寡占化によってトップになったウォルマートの影響力は、アメリカ経済の隅々にまでおよび、食品業界は完全にその支配下に置かれるようになった。

「ウォルマート社の最大の売りは「安さ」です。価格を抑えるために、人件費は最低限に抑え、労働組合もありません。そして農家やメーカー、納入業者は徹底したコストカットを迫られるのです」

テネシー州フランクリン在住の流通コンサルタント、スティーブ・ワーゼルはウォルマートの成功戦略についてこう説明する。

「同社は、商品の仕入先や物流企業に対し、厳しいコスト削減、品質向上、工程期間短縮など、契約した供給者にはすべて自社独自のやり方を導入させます。これについて交渉は一切できません。物流部分のコスト削減が、同社の高い競争力を維持する鍵だからです。人件費削減のために下請け企業の導入も積極的に進めています。競争率は高いし、選ばれて契約してからも大変ですが、みな必死に合わせますね。世界でもトップクラスのウォルマートの棚に商品を並べることは、小売業者にとって、成功への階段ですから」

「契約してからは何が大変なのですか」

「流通に関わる不具合を非常に厳しく取り締まるのです。商品の受注ミスや売り上げ不振などは、すべて納入業者側へペナルティが科せられます。商品が決められた日時より遅れて到着するのはもちろんのこと、早く到着しても倉庫代が余分にかかる分ペナルティですね。しかしここを徹底するからこそウォルマート社は、「毎日低価格」で「毎日手に入る」という顧客への約束を守り続けられるのです」

世界一の規模を維持するには、十分な商品量も重要だ。

たとえば同社は毎年約四、五億キロの牛肉を発注する。契約者はこれを効率よく低価格で供給し、同社のさまざまな技術的要求も満たさなければならない。結果的に中小の生産者は入れず、数社の大規模業者のみが契約を勝ち取ることになってゆく。こうしてウォルマート社と全米四大食品生産業者(タイソンフーズ、クラフトフーズ、ゼネラルミルズ、ディーンフーズ)との間には、はっきりとした上下関係が作り出された。コスト削減を始め、誰も同社の要求にノーと言えなくなり、要求を満たせない企業は次々につぶれていくからだ。

多種多様な農作物を育てていた中小農家が消えると、同じ地域の中の関連商店も連鎖的に打撃を受ける。農家が廃業した後の農地は集約され、大豆やトウモロコシなど、より出荷しやすい大規模な単一栽培に上書きされていった。

小規模農家の間ではよく、地方都市にやってくるウォルマートのことを、麦畑に吹いてくる大風にたとえて表現されるという。地元の中小生産者を、すごい勢いで「次々となぎ倒してゆく」からだ。

『ネイション』誌の編集者で食関連のノンフィクション作家のアンナ・ラッペは、ウォルマートが全米の地域社会に及ぼす影響についてくりかえし問題提起を続けている。

「ウォルマートがその地域に来ると、中小規模の生産者は一気に価格競争にさらされます。食品を始め、衣服も家電もすべてウォルマート一店舗で安く手に入るようになるからです。生き残るには自分たちも質か人件費を下げてコスト削減で対抗するしかなくなるので、大抵は倒産していきますね。シャッター通り化した地域社会は多様性を失い、そこで受け継がれていた文化や伝統、共同体が消滅していくのです」

やがて全米の食品販売の五割(地域によっては八、九割)以上を、ウォルマート、クローガー、コストコ、ターゲットの四社のみが占めるようになった。吸収合併が繰り返されることで食品加工業界もまた淘汰されてゆき、ペプシコ、クラフトフーズ、ネスレの上位三社を含む巨大多国籍企業二〇社の独占となってゆく。

多国籍企業は原材料も労働力も、世界のなかで最も安値で大量に手に入る地域から輸入する。人件費が安く環境規制も緩い第三国がライバルとなった国内生産者は、グローバル市場の厳しい価格競争のなかで、さらに消滅速度を上げていった。

こうした問題に早くから警告を発していたのが、カーター政権下のボブ・バーグランド農務長官だ。

一九八一年バーグランド農務長官は、大規模農業推進のもたらす危険と、早急な政策の転換をうながす「選択の時」と題した報告書を作成した。

「このまま農業の規模拡大を推進し続ければ、数年以内にごく少数の巨大農場と巨大なアグリビジネス（農産複合体）企業のみが、食料生産全体を支配することになるだろう」（USDA. Report, *Time to Act*, 1981）

だが彼の警告に、当時の政府は耳を貸さなかった。

この報告書はそれから七年後に見直され、今度は米国小規模農場委員会から当時のダン・グリックマン農務長官に提出された。

「農家に「大規模化か、離農か」の選択を強要する政策は間違っている。

そこには経済成長の隠れたコストが抜け落ちているからだ。たとえば寡占化した市場の集中生産による市場競争の喪失や、狭い敷地内に何千頭もの家畜

Top 4 US Food Retailers
US stores and net sales in billions of USD
Walmart 1
stores 4750 sales $ 264.2
Kroger 2
stores 3624 sales $ 90.4
COSTCO WHOLESALE 3
stores 592 sales $88.9
TARGET 4
stores 1767 sales $70.0
50%
of all grocery sales

全米の食品売買の5割以上を占めるトップ4小売業社（アメリカ統計局）

を詰め込み飼育する際の環境汚染、数件の巨大農場が自然災害や疾病にやられた際に失われる食の安全保障、全国規模の流通が拡大させる化石燃料増加コスト、こうした目に見えないコストが考慮されていない。

農場の規模と不在地主の数が増大するほどに、地域社会は形骸化する。大規模農場のもたらす効率や経済成長だけを強調して進める農業政策には、大きな問題があると言わざるをえない」(USDA Report, *Time to Act*, 1989)

だがこの報告書も一九八一年と同様、政府によって棚上げにされてしまう。

レーガン政権以降、一貫して「自由市場」を掲げてきたアメリカ。皮肉なことに、規制を緩め続けた先に行き着いたのは、少数の大企業による市場の独占だった。

だが多くの国民はこの変化に気がつかなかった。

どこへ行ってもスーパーには色とりどりの野菜や果物、きれいにパックされた肉や加工食品が溢れる便利な生活は、迫りつつある危機に対する国民の感覚を麻痺させてゆく。動物たちの置かれた環境や、激減してゆく小規模農家、多様性を失ってゆく地域の共同体、独占市場によっていつのまにか消費者の選択肢が奪われていることについて。

食品業界とウォール街の最強タッグ

垂直統合による食と農業ビジネスの巨大化を誰よりも歓迎したのは「ウォール街」だ。大手銀行や投資銀行、資本家、ヘッジファンドらは、食の業界における吸収・合併に積極的に関与し、資金融資から入札のための有価証券発行、新規株式公開手続きや戦略的アドバイスにいたるまで、あらゆる金融サービスを提供して後押しした。数十億ドル市場の農業ビジネスと食品加工業界は、銀行にとってはトップクラスの大口優良顧客だ。海外からの原材料仕入れが拡大するなか、海外市場とのキャッシュ管理だけで毎月莫大な手数料が入ってくる。

食と農業ビジネスの統合が進めば進むほど、ウォール街には手数料が湯水のごとく流れこんだ。リーマンショックでアメリカ経済全体が、深刻な不況と高失業率に苦しんでいたときでさえ、ウォール街から活気が消えることはなかった。アメリカ国内のSNAP受給者が四六〇〇万人という史上最大記録を突破する一方で、食品業界では二〇〇九年から二〇一一年の二年間でおよそ一〇〇〇件の吸収・合併契約が成立。そしてこの勢いは、今も衰えることなく加速し続けている。

「この数十年で最も二極化が大きく進んだのは、リーマンショックで景気が一気に悪化した時期でした。経済破綻を起こした張本人であるウォール街の人間たちは、自分たちの引き起こした惨事への反省はそっちのけで、どんどんスケールが大きくなる食品業界の買収・合併で得られるブローカー手数料の計算に夢中だったのです」

そう語るのは、マンハッタン在住の証券アナリスト、マーク・ブラウンだ。

「今でも忘れられないのは、このころ大きくニュースになった、クラフト社による、英系企業キャドバリー社の買収ですね。一九〇億ドル（約一兆九〇〇〇億円）という大きな額で行われたこの買収劇には大手金融機関や投資銀行がたくさん関わった。そのときの筆頭アドバイザー兼融資元は、政府から最大額の公金を受けて救済されたばかりの、シティグループとモルガンスタンレーでしたよ」

ウォール街とタッグを組んで吸収・合併を繰り返し、企業規模が拡大するにつれ、食品・アグリビジネス企業の役員会や株主には、金融業界幹部の名が増えていった。食品加工企業上位二〇社の株式を直接または間接保有する株主は現在四三六人だ。彼らは特定の業界または相互に便宜を図る形でさまざまな決定を下し、国境を越えたネットワークを着々と張りめぐらせてゆく。

「ビジネスは大規模になると、ウォール街にとってのドル箱になります。規制緩和と寡占化で巨大化した「食」と「農業」が優良投資商品になる条件が揃ったところで、金融業界は強力なロビー活動を行い、政府に対し一気に法改正の圧力をかけました」

二〇〇〇年にクリントン大統領は、商品市場の規制を緩和する〈商品先物近代化法〉に署名、これにより「食料価格」は、ウォール街の望みどおり、株式と同じようなマネーゲームの対象になった。

この法改正によって、先物取引の性質は大きく変えられてゆく。

それまで農家とメーカーの間の先物契約は、収穫された作物を重量あたりの合意価格で売買し、メーカーが作物をその価格のまま関連会社に売却するしくみだった。これによって、生産者もメーカーも極端な価格変動から守られる。ところが「商品先物近代化法」によって、この図の中にウォール街という第三プレイヤーが入り、メーカーは農家との「先物契約」を、合意価格に上乗せした「商品」として投資銀行に売れるようになった。

投資銀行はメーカーから買った商品をさらに上乗せした価格で別な投資会社に売り、その商品がさらに上乗せされた価格でまた別会社に売却される、という連鎖が続いてゆく。連鎖の先に行くほどに複雑化する「デリバティブス」「ヘッジ」「スワップ」「インデックスファンド」といった金融商品が非常に高い収益を上げながらウォール街をかけめぐり、あっと言う間に「食料」は投機バブルの一部になった。

マークはそのときのことをこう語る。

「実際に物を売買するのではなく、それを売る権利を売買する先物取引は、現物とは関係のないところで値段が決められてゆくという特徴を持っています。二〇〇八年リーマンショックの引き金になった、サブプライムローンの証券化もそうでした。ただし食料は人間の生死に関わる分、不動産よりもずっと実害が大きいのです」

FAO（国連食糧農業機関）の報告によると、二〇〇二年に七七〇〇億ドルだった食料投機額は、二〇〇七年までのたった五年間で一〇倍の七兆ドルに跳ね上がっている。

経済学者でインドのジャワハルラール・ネルー大学経済研究・計画センターのジャヤティ・ゴーシュ所長は、アメリカのサブプライムローン問題と食料危機の関連性を指摘する。

「アメリカで住宅バブルが崩壊したとき、銀行や機関投資家がその損失を補うために、次の投資先として選んだのが食料でした。巨額の投資基金が食料市場に流れこみ、食料価格は二〇〇八年前半まで高騰し続けたのです。その年の年末、国連は世界三三か国が厳しい食料危機状態にあると発表しました」

その後二〇一〇年にも食料価格バブルは再び始まっている。バブルを繰り返し生み出す投機活動を規制する法律は今現在存在していない。

二〇一〇年の食料価格高騰の原因については賛否両論がある。原因はウォール街ではなく、前年ロシアで起きた干魃と、中国やインドのような新興国における需要急増が原因だとする反論も出てきた。だがゴーシュ所長はこれに対し、こう答える。

「FAOのデータを見れば、それが事実ではないことがわかります。統計では中国とインド両国の食料消費量は、価格高騰によってむしろ減少しているからです。世界の小麦貯蔵量が安定していたのに、この年の六月から半年間で小麦価格が七〇％も高騰した理由は、食料への投機しか考えられません」(Jayati Ghosh, "The Unnatural Coupling: Food and Global Finance", *Journal of Agrarian Change*, Vol. 10, January 2010)

業界関係者だらけのFDA

二〇〇八年の大統領選挙キャンペーンで、バラク・オバマ候補は、過去数十年の歪んだ農業政策を変えてくれるリーダーとして、多くの有権者の期待をふくらませた。

「USDA(農務省)は、産業でなく農家のための機関だ」

「国民は何を口にしているか知る権利がある。私が大統領になったら遺伝子組み換え食品のラベル表示を義務化する」

「一部の業界の利益のためには動かない、私は全国民のために働く」


はたしてオバマ政権下で、アメリカの農業と食の政策は、変化しただろうか？

「オバマ大統領には、期待を大きく裏切られました」

そう言うのは、ワシントンに本部があるＣＦＳ（食品安全センター）のダグラス・シャーマン博士だ。

「巨大な農業ビジネス企業による農業補助金の独占や、遺伝子組み換え作物へのラベル表示義務など、食業界の腐敗を一掃する公約を、オバマ氏は選挙キャンペーンの間中いくつも掲げていたのです」

アイオワ州のトム・ハーキン上院議員によると、一九九五年から二〇〇三年の間にＵＳＤＡから支払われた農作物助成金は約一〇〇〇億ドル（約一〇兆円）、うち七割は上位一〇％の巨大アグリビジネスに流れたという。こうした助成金で自国の農業を保護する国は少なくないが、アメリカでは過去数十年で、その受給者が小規模農家からアグリビジネスに上書きされていった。

シャーマン博士はこうした公的資金の無駄を撤廃するというオバマの公約が、就任後百八十度翻ったと批判する。

「オバマ大統領は選挙時の公約と真逆のことをやりました。食の安全に関わる要職に、業界関係者をずらりと任命したのです。

ＦＤＡ（食品医薬品局）の上級顧問には、遺伝子組み換え種子の最大手であるモンサント社の副社長、マイケル・テイラー。農務長官には、元アイオワ州知事で、自治体による〈遺伝子組み換え作物規制禁止法（Senate Bill633）〉の発案者であるトム・ビルサック。これでは規制される業界の人間を規制する側に入れているのと同じです。

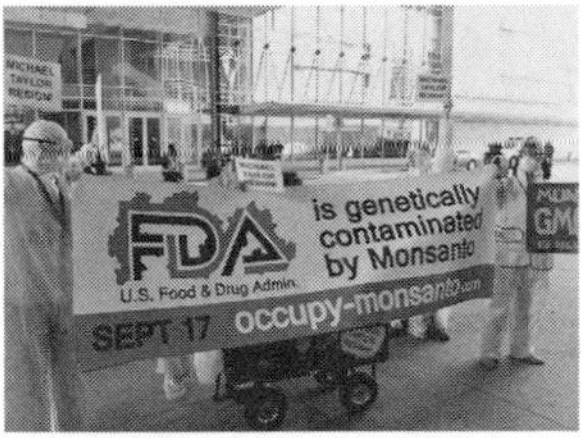

「マイケル・テイラーは辞職を」とFDAを批判する人々（2012年食の安全サミット会場前で）（occupy-monsanto.com）

オバマ大統領の就任で、やっと食品業界と政府の間の回転ドア人事（利害関係者が、政府と業界の間を行ったり来たりする現象）にメスが入るかと思ったが、これでは垂直統合と規制緩和がまた進み、業界はさらに巨大化するでしょう。結局のところ、彼も歴代大統領と同じだったのです」

だがマイケル・テイラーに関しては、回転ドアが回るのはこれが初めてではなかった。

一九九二年にＦＤＡが「遺伝子組み換え作物を実質的に通常の食品と同等に扱う」ことを発表した際、モンサント社の顧問弁護士を経て、ＦＤＡのＧＭ作物政策担当副長官の座に就いていたのはテイラーだった。

彼はＦＤＡの食品ガイドラインからＧＭ表示義務を削除し、企業のＧＭ作物安全評価データの一般公開を免責した。ＧＭ作物市販製品第一号である、モンサント社製「遺伝子組み換え牛成長ホルモン（ｒＢＧＨ）」を承認し、同ホルモン剤を投与した牛の牛乳について、ラベル表示を不要にしたのもテイラーだった。

牛に注射すると牛乳の生産量が三割増量するこの成長ホルモンは、カナダ、ＥＵ、オーストラリア、ニュージーランド、日本、国際食品規格委員会など二七か国といくつかの国際機関で禁止されている。モンサント社が安全性を主張する一方で、通常二年は必要とされる長期的影響のテストデータの不在、モンサント社による九〇日間の自社試験結果の非公開、投与した牛の乳房感染症増加と、ｒＢＧＨミルクに含まれる、人間の乳ガン、結腸ガン、前立腺ガンに関係する高レベルインスリン様成長因子（ＩＧＦ-１）、牛乳への膿汁混入がもたらす抗生物質の過剰使用など、安全面への懸念からの禁輸措置だ。

だがＦＤＡは今も「健康に影響はない」としてｒＢＧＨを承認し続け、全米の牛の三割が、週二回rBGHを注射されている。先進国で唯一rBGH入りの牛乳を飲み続けているのは、GM表示義務のないアメリカの国民だけなのだ。

テイラーは九四年に食品安全検査局行政官に就任し、その後政府を離れてすぐモンサント社の副社長に「栄転」している。

シャーマン博士の言うとおり、いくら大統領選挙期間中に立派なことを豪語しても、就任後の本音は予算や人事を見れば一目瞭然だ。

オバマ大統領は今回新しく、議会の承認が不要なUSDA直属機関である食料農業国立研究所を政府内に設立、所長にはモンサント社が出資するダンフォース・プラント科学センターのセンター長だったロジャー・ビーチーを指名した。ビーチーは大統領選挙の際、オバマ陣営の選挙資金に大きく貢献した一人だ。

TPP交渉における要職である、USTR農業交渉主任には、以前クリントン政権下のUSDAでバイオテクノロジーを推進したイスラム・シディキが任命された。彼は世界の農薬市場の四分の三を占めるモンサント他五社を代表するロビー団体「クロップ・ライフ・アメリカ」の副社長でもある。

USDA総合担当弁護士にはラモーナ・ロメロ。モンサント社についで世界トップの農薬・

種子企業デュポン社の元顧問弁護士だ。

最高裁判所の裁判官には、GM小麦アルファルファと有機農家が戦った訴訟で、モンサント社側の弁護人を務めたエレナ・カーガンが選ばれた。

モンサント社といくつもの共同事業を進めるバイオテクノロジー研究の「ビル&メリンダ・ゲイツ財団」で農業開発管理者だったラジブ・シャアは、オバマ大統領によってUSDA教育研究所次官に指名されている。

バイオ業界と政府の間の回転ドア人事が顕著になりだしたのは、食を「産業」として推進したレーガン政権のころからだと、シャーマン博士は指摘する。

「レーガン政権のEPA（環境保護庁）長官とFDA長官は、どちらもモンサント社の役員でしたし、ブッシュ政権のアン・ベネマン農務長官は元バイオ企業役員でした。クリントン政権の通商代表は元モンサント社の役員、内政アドバイザーとFDA局長代理はその後モンサント社の役員と子会社役員にそれぞれ就任しています。こうして挙げていけばきりがありませんが、アメリカの食に関する規制緩和が、信じられないようなスピードで進められていった背景には、こうした政府と業界の癒着があったのです」

「国民はこうした変化に気がついていたのでしょうか」

「リーマンショックで多くの人々が被害を受けたとき、マイケル・ムーア監督のドキュメンタリー映画『ＳｉＣＫＯ』でこの回転ドア人事が一時話題になりました。けれど未だに多くの国民は、こうした事実を知りません。彼らにとって、ＦＤＡやＥＰＡ、ＵＳＤＡ神話は、まだ強固なままなのです」

「それはどんなイメージですか」

「自分たちの食の安全や、環境と農業を誠実に守ってくれる政府の専門機関。ＦＤＡはアメリカ国民にとって最も信頼される機関の一つだと言われ、諸外国からも信用されています。近年大きなブームになっているオーガニック食品は、ＵＳＤＡの認証ラベルがひとつの安心めやすになっていますからね」

カリフォルニアではUSDAの認証が信用されている

かつてリンカーン大統領は、国民のいのちの元である食を守る「人民の省」としてＵＳＤＡを設立した。そのイメージは、今も消えていないのだ。

「こうなった原因はどこにあると思われますか」

「独占禁止法の規制緩和と寡占化で企業規模が大きくなりすぎたこと、そこに一九九九年の（グラススティーガル法（金融規制法)〉撤廃が想像を超えた儲け方を可能にしてしまった。勝ち組になったウォール街と企業がタッグを組んで、途方もない資金力でマスコミや政府を買うようになってしまったのです」

「国民の多くが知らないうちにですか」

「大半は何が起こっているのかさっぱりわかっていないでしょう。国民が法律そのものに関心をまったく払わないことに加えて、企業はその資金力で政府だけでなく、必ずマスコミも一緒に押さえるからです。こうすれば国民に気づかれずに都合のいい法改正を行える。一日の平均視聴時間が八時間以上のテレビ社会アメリカでは、国民の思考は番組制作者が形成するのです」

食の工業化で潤う抗生物質市場

二〇一三年二月。FDAの全米薬剤耐性監視システム(National Antimicrobial Resistance Monitoring System=NARM)が発表した全米食肉年次報告書は、多くのアメリカ国民にとって背筋が凍る内容だった。

検査対象となった七面鳥のひき肉の八一%、牛ひき肉の五五%、豚の骨付きロース肉の六九%、鶏肉の三九%から抗生物質に耐性を持つ細菌が検出されたのだ。鶏肉に関しては五三%

から大腸菌や、毎年アメリカ国内で数百万人の食中毒患者を生むサルモネラ菌とカンピロバクター菌も見つかっている。CDC（アメリカ疫病予防管理センター）によると、一九八〇年代には全食中毒患者の一％にも満たなかった抗生物質耐性菌感染者数は急増しており、さらにサルモネラ菌の治療に使われる抗生物質も、年々効かなくなっているという。

この年次報告書が出たのは、WHO（世界保健機関）が、急増する抗生物質耐性菌使用量に対し、使いすぎにより抗生物質が効かなくなる「ポスト抗生物質時代到来」に警鐘を鳴らした翌年だ。

キャロライン・チャン博士と筆者

この変化について、USDA内の農業バイオ研究機関職員であるキャロライン・チャン博士はこう語る。

「NARM年次報告書の内容は毎年悪化しています。独占禁止法の撤廃による寡占化で巨大化した工業式農業は、過剰な密度で動物を詰めこむ家畜工場で、成長促進や感染防止用に大量の抗生物質を注射したり、餌や水に混ぜたりするようになりました。ペニシリン、テトラサイクリン、エリスロマイシンなど、人間の医薬品であるこれらの薬が、病気の治療以外の目的で使われるようになったのです。この結果、アグリビジネスと製薬業界の合併が始まりました」

　すでに一九九〇年末までに、全米製薬企業の販売する抗生物質の七割が、人間ではなく家畜に投与されていた。家畜が工場でなく農場で育てられていた一九五〇年代には、年間二三〇トン家畜に使用されていた抗生物質の量が、二〇〇五年には約八〇倍の一万八〇〇〇トンになっている。

　EUでは一九九八年以降、成長促進目的で家畜に抗生物質を投与することを禁止した。だがアメリカでは依然として増え続けている。

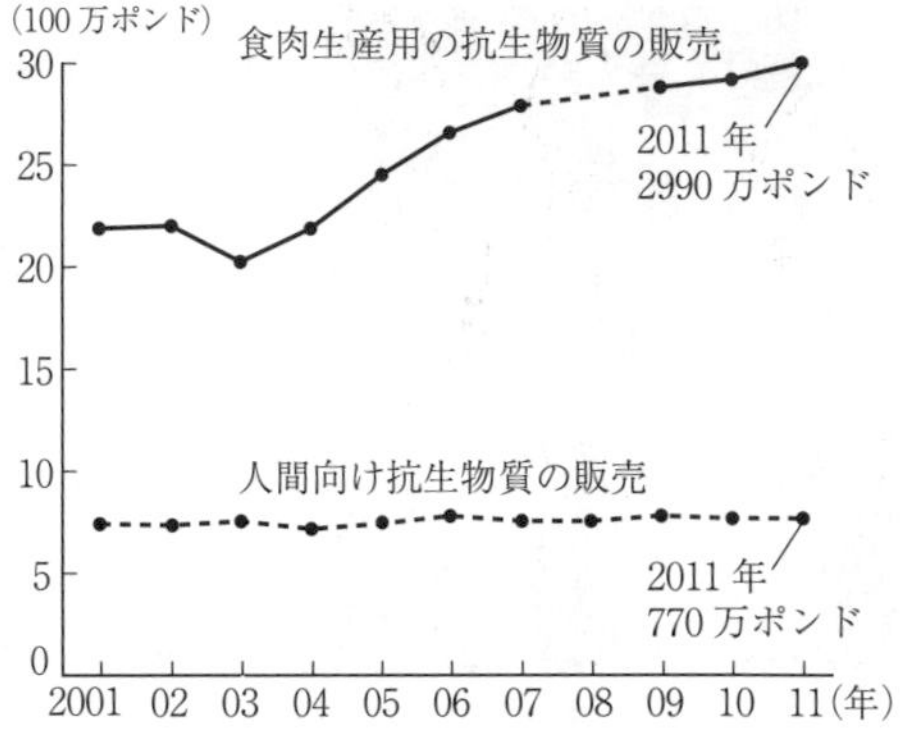

家畜用および人間用抗生物質の販売量推移
(pewhealth.org, 2013 年 3 月 28 日)

　アメリカ国内の大規模な工業式農場の拡大と、抗生物質の需要とは比例しているのだとキャロラインは言う。

「抗生物質や成長ホルモンのような薬剤は、大規模家畜工場の拡大につれて、なくてはならない必需品になったのです。たとえば妊娠中の牛は一日に七リットルの牛乳を出しますが、特殊な薬剤を混ぜた餌や成長ホルモンを与えれば、出す牛乳の量は三〇リットルまで増やすことができる。その分寿命は短くなりますが、経営者にとっては「魔法の抗生物質」と呼ばれ重宝されました。生産効率を優先する家畜工場の経営者や株主たちにとってはメリットの方がずっと大きいので、家畜用薬剤の需要は年々伸びる一方なのです」

「食の工業化と抗生物質の大量使用によって、人間にはどんな影響がありましたか」

「新種の病気が増えましたね。鳥インフルエンザ、大腸菌、フィエステリア、サルモネラ中毒、狂牛病、カンピロバクター、といった病気が猛威を振るい始めました。これらはみな、過去数十年に食の工業化で効率を追い続けたことの産物です。たとえば狂牛病は、草食動物である牛に死んだ動物を餌として与えた結果生まれたものです。七割が遺伝子組み換えであるアメリカの穀物全体のうち七割が牛の飼料になりますが、草食動物である牛の身体は、本来トウモロコシや死んだ動物肉を食べるようには作られていません。

家畜が農場で育つ生き物だったときに考慮されていた自然界のバランスは、家畜がモノとして扱われる工場の中には、もう存在しないのです」

細菌学の専門家で規制委員会筆頭委員のルイーズ・スローター下院議員は、この数十年にアメリカ国内で起きた食の工業化、家畜工場、穀物の単一栽培や、爆発的に拡大した加工食品業界などが人間の健康に与えた負の影響を指摘する。

「一九五〇年代に比べると、今の食材はビタミン、ミネラルなどの栄養分が約四割失われています。たしかに世界中の野菜や、昔よりずっと安い肉が手に入るようになりましたが、食べ物は加工すればするほどスカスカになってしまう。その証拠に、アメリカ人の健康状態はこの間悪化を続けています。慢性的な肥満や糖尿病、アレルギーなどが、深刻な社会問題になってしまいました」

食の安全を掲げるルイーズ・スローター下院議員

「食が安く手に入るようになったメリットについてはどうでしょうか」

この政策を推進してきた政府や企業が声高に主張する利点について尋ねると、スローター議員は首を振ってこう言った。

「アメリカ人は、安い食べ物という幻想を見せられているんです。食べ物は加工すればするほど、店のレジで支払う代金が安くなる分、栄養が減り添加物の増えた食品で健康を損なったり、大量生産工場による環境破壊という形でツケが回ってくる。低価格神話に目がくらんだ消費者は見落としているのです。それらをカバーするための公共料金や医療費の請求書は、結局私たちが支払わされているのだということを」

企業は「オーガニック食品」という夢を売る

「アメリカはアグリビジネスが拡大する一方で、別の市場も急激に伸びています。オーガニック食品です」

北米・イギリス合わせて三三一店舗を持つ全米トップの大手自然食品スーパー「ホールフーズ・マーケット」のワシントン支店で働くゲイリー・ボイヤーはそう言って笑顔を見せる。

ホールフーズの店内

「ホールフーズが提供しているのは単なる商品ではありません。健康的なライフスタイルという夢を売っているんです」

ホールフーズの店内に入ると、優しい緑と茶を基調にした内装が、まるで森林の中で買い物をしている気分にさせられる。木製の棚に美しく並べられた野菜や果物、緑色のエプロンをつけたボイヤーを始め、従業員はみなスリムで若く、愛想がいい。

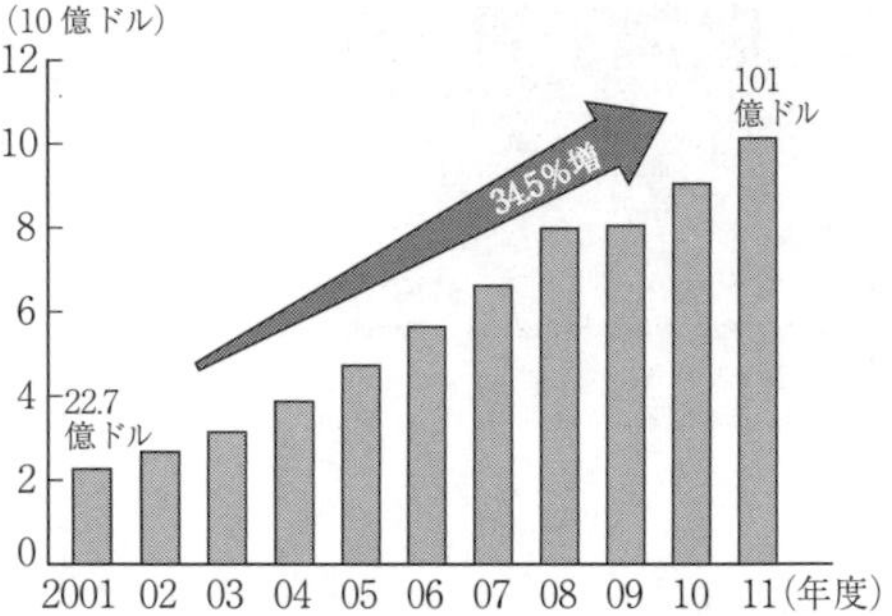

ホールフーズ・マーケットの売上推移
(dyna-search.com, 2012年7月10日)

「牧草で育てられた牛」「平飼い卵」「農薬不使用」「成長ホルモンゼロ」。数々のタグの横に飾られているのは、個々の生産者の写真だ。ボイヤーの言うとおり、たしかにこの企業は「夢」を売っている。緑豊かな農場でくつろぐ幸せそうな動物たちが描かれたパッケージは、消費者に自らの健康だけでなく、動物たちや環境にも良いことをしている気分をもたらす効果が抜群だ。

実はホールフーズの主要商品は、完全な有機農業ではなく「自然派の」通常食品なのだが、普通のスーパーで買うのとは雰囲気がまったく違うため、顧客は喜んで割高価格でも財布を開く。会社全体が提供する、「環境といのちにやさしい、持続可能なライフスタイル」のイメージには、非常に強い力があるのだ。

「ホールフーズは食べ物や環境問題に意識の高い知識層をターゲットに、都市部を中心に展開して大成功したんです。私たちの仕事は、ここに来るお客さんが求めている付加価値を与えてあげること。普通のスーパーより割高ですが、彼らは喜んで払いますよ。農薬や非人道的な家畜工業や、人間にとってまだ未知の世界である遺伝子組み換え作物の溢れる世界から、一九五〇年代の善きアメリカにタイムスリップできるんですから」

ホールフーズを筆頭に、今アメリカではオーガニック産業が爆発的に伸びている。

オーガニックに人々の関心が向く大きなきっかけになったのは、一九八九年の「アラール・スキャンダル」だ。

ＥＰＡが果物の成長抑制農薬アラールの発ガン性について発表し、ゴールデンタイムのニュース番組がセンセーショナルに取り上げた。たちまち全米がパニックになり、その反動で農薬不使用オーガニック食品の需要が急激に伸び始める。

一九九〇年、有機農業を正式に認める〈オーガニック食品生産法(Organic Foods Production Act)〉が成立、世論の高まりを受けた米国議会は、それまで国内でバラバラだったオーガニック食品について、統一定義を作るようＵＳＤＡに働きかけた。一九八〇年代から大規模農業ビジネスの方を推進してきたＵＳＤＡは、議会と世論の圧力でしぶしぶ腰を上げたものの、基本方針ができあがったのはそれから七年もたった一九九七年だった。だがクリントン政権下で発表されたそのガイドラインは、ふたを開けてみると食品産業やモンサント社、加工食品業界や

「地産地消が最後の希望」と言うジュリア・ライス

バイオ企業群によって、見事に骨抜きにされていた。

ミズーリ州テベッツで家族農場を営むジュリア・ライスは、今でもそのときのことを思い出すと怒りがこみあげてくるという。

「USDAが出してきたオーガニックの認証基準は、本当にひどいものでした。抗生物質や殺虫剤の禁止と並んで、明らかな業界関与とみられる、遺伝子組み換え作物、下水汚泥由来肥料の使用、食品への放射線照射許可という三大要素が組み込まれていた。これはオーガニック農家や活動家、消費者たちを激怒させました」

あっと言う間に史上最大数である二七万五〇〇〇人の抗議署名がUSDAに届き、世論の剣幕に驚いたダン・グリックマン農務長官は慌てて基準をいったん凍結、二〇〇〇年一二月に、国民の逆鱗に触れた三大要素を排除した新しいガイドラインを改めて発表した。

①「米国使用認可合成物質および使用禁止自然物質リスト」に従った原材料および加工原料の使用

②有機農場認定は最後の禁止物質使用から三年経た土地のみ

③有機生産における、遺伝子組み換え作物、放射線照射、下水汚泥肥料の使用禁止

全米オーガニック基準と認証システムの誕生は、新しい市場を花開かせた。一九九〇年の時点で一五億ドルだったオーガニック市場は、二〇一一年には三一五億ドルの巨大市場へと成長してゆく。

既存の工場式農業やアグリビジネス、加工食品業界に対抗する新市場として期待されたオーガニック食品。だがすでにそこには、垂直統合で巨大化した大企業とそれ以外の生産者という、二極化したビジネスモデルができあがっていた。

つぶされる小規模有機農家

「すでに工業式農業で大成功していた巨大メーカーやアグリビジネス群にとって、この認証システムは二重、三重の意味で大きなビジネスチャンスとなりました」

だが自分たちのような零細農家には重い負担がかけられたのだと、ジュリアは言う。

USDAのオーガニック認証を得るためには、詳細にわたる内容記録と大量の必要書類を提出させられる。単一栽培が中心のアグリビジネスにとっては大した労力にならないが、季節ご

とに多種多様な作物をローテーションして作付けしているような家族経営農家や小規模有機農業には、この手続き自体が負担になるケースが少なくない。認証自体や事務手続きの手間に加え、かかる費用も決して安くはないからだ。

「七五〇ドルまでは国の認証費用補助金制度で支払われますが、それだけでは不十分なのです。有機認証を受けるには、家畜が生まれてから、と畜して加工するまでの、全工程が有機仕様でなければなりません。たとえば私の住むミズーリ州では、有機牛肉の加工を行う処理場がなく、イリノイ州まで輸送する燃料費と、さらにそこでの加工費用が一体当たり五〇〇ドルかかります。有機農法の飼料や干し草の値段は通常の二倍、それも隣の州まで買いに行かなければなりません。あまりに費用がかかるので売るときの値段に上乗せしますが、もし穀物の値が高騰したりしたらすぐにアウトですよ。オーガニック認証ラベルを維持し続ける費用の高さから、あきらめてしまう中小農家が増えているのはそのためです。おかしな話ですよね、たとえばうちは、よくある誇大広告有機商品のようなラベルの絵とは似ても似つかないコンクリート製の飼育場なんかじゃなく、ちゃんとした緑豊かな牧場です。抗生物質も農薬も成長ホルモンも一切使わない環境で育てた最高に安全な牛肉なのに、価格競争の中で、やっぱり零細農家は大手に負けてしまう」

たった一枚のラベルのために、ここまで経済的負担を背負うのはなぜなのか。
「USDAのオーガニック認証ラベルが、市場での立派なブランドとして世界的に認知されているからです。これがあるのとないのでは、消費者の反応が全然違う。ラベルなしでホールフーズのような大手スーパーに仕入れ契約を結んでもらうのはまず不可能ですね。ウォルマートやコストコも同じで、大勢の競争相手の中で契約を勝ち取るにはこの認証ラベルが最低条件なのです」

通常の食品がそうであったように、オーガニック業界もまた、吸収・合併による寡占化の波にのまれていった。一九九〇年から二〇〇五年までの一五年間に繰り広げられた業界内買収劇の結果、今では全米上位二〇社の食品加工業者のうち一四社が、前述したホールフーズ社を筆頭に、自社ブランドの有機農業食品を提供している。

国際的にも通用するUSDAオーガニック認証ラベルは、オーガニック業界のグローバル化を一気に進ませた。オーガニックの世界では、質を下げるコスト削減には限界がある。そこで各メーカーは激化する価格競争に勝ち残るために、原料をもっと安い諸外国から輸入し始めた。これならオーガニック表示はそのままに、生産コストを下げることが可能になる。やがてアメリカのオーガニック商品の半分は、メキシコやイタリア、トルコや中国といった国々からの生産物がその原料を占めるようになった。

「グローバル化は、アメリカのオーガニック業界に深刻な問題をもたらしました」

そう言うのは、ニューヨーク州ウッドストックで有機平飼い養鶏場を家族で営むレイチェル・ダンカンだ。

「オーガニック業界がグローバル化するときに出てくる問題とは、何でしょうか」

「グローバル化は企業のコスト削減戦略から国境というハードルを取り除きました。その結果、企業はより低コストで環境や安全規制の緩い国を生産プロセスに入れられるようになったのです。ですがオーガニックの基準は国によって違う。たとえば農薬の大量使用で環境汚染が深刻な社会問題になっている中国が認証したオーガニック食材を、アメリカ国内と同等に考えるのは無茶でしょう」

「寡占化についてはどうですか」

「非有機の食品とまったく同じ問題が起きています。吸収や合併によって巨大化した企業が、政治に対して影響力を持ちすぎてしまう」

レイチェルの懸念はすでに現実になっていた。

一九八五年に食品産業の大企業経営陣が立ち上げた「オーガニック貿易協会(Organic Trade

Association)」は、オーガニック業界ロビイストとして精力的に活動し、オーガニックの認証基準を徐々に緩める政治的圧力をかけていった。その結果、二〇〇五年にUSDAは認証基準を改正、非有機の食品添加物や合成着色料、テトラサイクリンやストレプトマイシンのような抗生物質を使用してもオーガニック認証審査には引っかからず、表示義務も免除されることになった。

それでもレイチェルのような、工業式ではないやり方で育てられる養鶏場の存在は、消費者に選択肢を与えるという意味では貢献していると言えるだろう。

そう言うとレイチェルは、微笑みながらうなずいた。

「そうですね。うちは家族経営の小さな養鶏場なので、いつまで続くかはわかりませんけど。ただ少なくとも、ホールフーズの「ロージー」みたいな鶏とは違う、本物の平飼い鶏ですよ」

ぎゅう詰め飼育のオーガニックチキン

ホールフーズで売られているオーガニックチキンのなかでもとりわけ人気が高い二種には、「ロッキー」と「ロージー」という名前がついている。パッケージのラベルはオーガニック商品特有のかわいらしいイラストだ。養鶏場のホームページに行くと、GM飼料も抗生物質も不

ペタルマ社の「持続可能な平飼い鶏」のポスター

使用で、平飼い飼育である説明と、緑豊かな牧場風景、背の高い草の間を歩く真っ白な鶏の写真が載っている。

だが実際はどうだろうか。

「ホームページの写真はイメージです」

レイチェルはきっぱりと言う。

ロージーチキンを飼育するカリフォルニア州のペタルマ養鶏場は、鶏一羽一羽に工業式養鶏場より二五％広いスペースを与えていることを誇っている。工業式の養鶏場で鶏一羽に与えられるスペースは横八・五インチ、縦一一インチ（二一六ミリ×二七九・五ミリ）で、羽を伸ばすこともままならない。だがオーガニックのロージーチキンがいるスペースは三〇センチ四方だから、一回転することができるという。

USDAのオーガニック基準では、鶏舎から外部へのアクセスがあることも条件だ。レイチェルはこれもまた、ざる法だと批判する。

「USDAの基準は、あくまでもアクセスのあるなしだけです。そこに草が生えているか、牛や鶏が毎日外を歩いているかどうかは、問題にされません」

はたしてロージーの平飼い環境はどうだろう。行ってみると、横長で巨大な鶏舎の端っこに外へ出る小さなドアがついていた。だが鶏たちの大半は、鶏舎の中に他の鶏たちと共にぎっしりと詰めこまれているせいで、ドアの存在にはまったく気づかないようだった。しかも抗生物質投与が禁止されているため、生後四週間までは感染を防ぐためにドアは開かない。四週間たつと午後から夕方にかけて数時間だけドアが開くようになり、六週間目にはもうと畜される運命なのだ。

鶏舎には鶏がぎっしりと詰め込まれている(Cornucopia Institute)

二〇一二年一〇月、動物保護基金(Animal Legal Defense Fund＝ALDF)はカリフォルニア州ペタルマにある、「ジュディのオーガニック家族鶏卵農場(Judy's Organic Family Egg Farm)」を、虚偽広告の罪で訴えた。平飼いのオーガニックチキンが生む卵を販売する同社の卵パッケージには、たくさんのひよこと共に草の上を歩く鶏のイラストがプリントされ、「当社の鶏たちは広いスペースを自由に歩き回り、土をつっつき、遊んで育ちます」という文章が書かれている。だがALDFが調査したところ、ジュディ農場の鶏たちはコンクリートの鶏舎にぎっしりと詰め込まれていた。

「ＵＳＤＡのオーガニック基準は穴だらけなのです。そのせいで食品業界は法に引っかからずに、生産効率を最大限に上げられる。どのみち片手の指で数えられる少数の大企業が支配するこの業界で、同じ一つの会社が工業式とオーガニックをきっちりと分ける方が非効率なんでしょう。だから企業はマーケティングに力を入れる。美しいラベルや、手に取った客にしあわせな動物たちのイメージが浮かぶようなキャッチコピー。ホールフーズに来るような都市部の知識層が求めているのは、高いお金を払ってでも満足感を与えてくれる、優雅な付加価値なのです」

「オーガニックブームがアメリカにもたらしたものとは何でしょうか」

レイチェルはしばらく考えてから、静かにこう言った。

「そうですね。私たちは食というものを考え直す時期に来ているのかもしれません。たとえば本当の意味でのオーガニックは、地産地消で生産者の顔が見えることが基本ですよね。石油を使って何百キロも離れた場所にあるスーパーマーケットに流通させ、低コストで大量に生産するやり方とは根本的に相容れない。アラール農薬騒動によってせっかく目覚めかけたアメリカ消費者の意識は、巨額の利益が見込める新しいビジネスチャンスにすり替わり、企業マーケティングの一部に組み込まれてしまったように思います。もっと便利に、もっと安くという方向に走り続けることは、私たちアメリカ人からいつの間にか想像力を奪ってしまったのでしょう。綺麗にパックされた鶏肉を見たときに、それがどこから来たのか、どうやって育てられたのかを考えることは、地産地消という本来のやり方を続ける小規模有機農家を守るだけでなく、私たち自身が他のいのちとのつながりを見失わないためにも、とても大事なことなのです」

「これはSFではない、現実だ」――GMサーモン

二〇一二年一二月。FDAは、承認されれば人類史上初の遺伝子組み換え(GM)動物になる、「GMサーモン」の環境影響評価報告書を発表した。

「アメリカの環境、および天然サーモンの養殖にGMサーモンが害をもたらす可能性は低い」

評価対象になったのはマサチューセッツ州にあるバイオ企業アクアバンティ・テクノロジー社が開発し、一九九五年から認可を求めていた、GMサーモン「アクアアドバンテージ」だ。

通常、アトランティックサーモンは水温が低い冬の時期は成長ホルモンを分泌しない。そこで大型キングサーモンの成長ホルモン遺伝子と、水温が低い深海に棲む海水魚の調節遺伝子が組み合わされ、アトランティックサーモンの卵に注入された。この卵から生まれたGMサーモンは成長ホルモンを一年中分泌し続け、通常の二倍の速さで成長する。味は通常のサーモンと変わらず、養殖業者は生産量を倍増することができ、鮭の小売価格は最大で四割削減が見込めるという。大きさは三倍で飼育期間は半分、漁業効率を改善し環境負荷を軽減するこのGMサーモンは、企業、漁業、環境、消費者の四者に大きなメリットをもたらす、一石四鳥の新製品だ、というのがアクアバンティ社の説明だ。

だがトウモロコシのような農作物と違い、サーモンは水中を自由に泳ぎ回る。もしGMサーモンが養殖施設から逃げて自然界に入り、天然種と交配するようなことになれば、天然種の駆逐につながるのではないかという、懸念の声も少なくない。

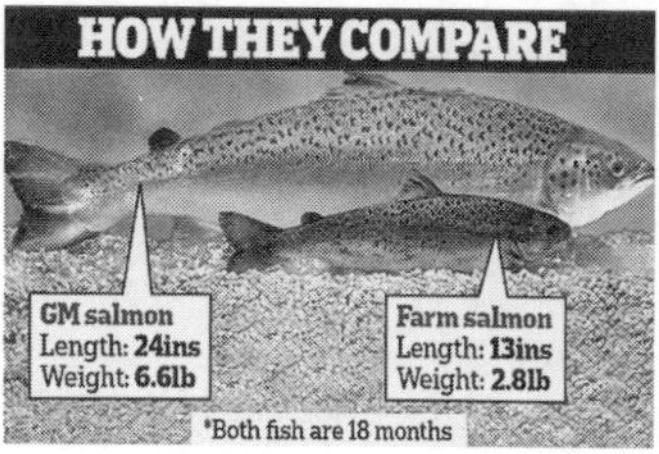

GMサーモン（後ろ）と通常の養殖サーモン（手前）のサイズ比較（responsibletechnology.org）

一九九九年にインディアナ州パデュー大学で、コンピュータ・シミュレーションによるGM魚の生殖能力がもたらす影響検証が行われた。その結果、オスの生殖能力を抑制した遺伝子組み換え魚を放流することで、海の中の多様性に大きな影響を与えることがわかったという。遺伝子組み換え魚は寿命が短い。六万匹の天然魚がいるなかにわずか六〇匹の生殖可能な遺伝子組み換え魚を入れると、二〇年後には天然魚が絶滅してしまう。

これに対しアクアバンティ社側は、安全対策はすでにとられているという。

「生殖能力のないメスのみを開発したのでその心配はありません。ただしごくまれに繁殖能力を持った個体が出てくる可能性はありますが」

だが多くの専門家は、一旦人工的に他の遺伝子の攻撃を受けた動物遺伝子は、不安定化するリスクがあると指摘する。作り変えられた遺伝子が時間とともに突然変異し、魚が再び繁殖可能になる可能性も否めない。この突然変異した遺伝子がさらに別な天然魚に拡散すれば、そこら中で魚の遺伝子構成を変えていく可能性もある。

アクアバンティ社はこれに対しても辛抱強く反論した。

「GMサーモンは養殖施設で育てられるため、絶対に自然界に逃げることはありません」

だが、ひとたび認可され商品化されたGMサーモン卵の出荷が始まれば、毎年何百万匹も逃げ出している世界中の海洋養殖場でGMサーモンが育てられ、脱出の可能性も拡大するだろう。

遺伝子が組み換えられた魚の性質にどんな影響があるかも未知数だ。二〇〇七年八月、イギリスの科学雑誌『ニュー・サイエンティスト』誌は、このGMサーモンに関する最新の研究結果を発表した。それによるとGMサーモンは、個体の生育途中から性格が獰猛に変わる可能性が非常に高く、海の中の生態系にどんな影響を与えるかわからないという。

前出のＣＦＳのダグラス・シャーマン博士は、ＧＭサーモンが承認されれば、雪崩を打って次々にＧＭ魚が市場に参入するだろうと警鐘を鳴らす。アクアバンティ社の認可待ちリストには、ＧＭテラピアとＧＭマスが載っているのだ。

ＧＭ動物も負けてはいない。二〇一二年には、ＦＤＡが血液凝固薬の生産材料としてＧＭヤギを承認、これに続いてカナダで開発された、「環境にやさしい糞尿」を排泄するＧＭ豚が現在認証待ち状態だ。

だが消費者による不安や専門家の警告が拡大する一方で、遺伝子組み換え作物に関するアメリカ政府の立ち位置は一九八〇年代から変わっていなかった。ＦＤＡはＧＭサーモンの人体への影響について、アクアバンティ社の安全データ提示がないにもかかわらず、二〇一〇年には「安全性承認」を出している。

ＧＭ種子を野放しにする〈モンサント保護法〉の成立

二〇一三年三月二八日。オバマ大統領の署名によって成立したある法案が、アメリカ国内の農業従事者や研究者、消費者たちの怒りに火をつけた。

問題になったのは〈包括歳出予算法案（ＨＲ９９３）〉の中の第７３５条、別名〈モンサント保護法〉だ。

　遺伝子組み換え作物で消費者の健康や環境に被害が出ても、因果関係が証明されない限り、司法が種子の販売や植栽停止をさせることは不可とする。

　この内容は成立後たちまちインターネットを中心にしてアメリカ国内に拡散された。全米から集まった消費者団体や農業関係者、環境活動家たちおよそ三〇〇人がホワイトハウスを取り囲む抗議運動を展開、ホワイトハウスの電話回線は、集中する国民からの抗議電話でパンクした。オバマ大統領の部屋には、この条項の即時撤回を求める国民による二五万人以上の署名が届けられた。

　だがこれらの声は、政府に届かなかった。オバマ大統領は同条項の撤回を拒否し、それはモンサント社を始めとするバイオテクノロジー企業が、ついに欲しかったものを手に入れたことを意味していた。GM産業に無限に注がれる富を約束する、一国の司法を超えた巨大な権力を。

　怒りを爆発させた国民の姿を見て、上下両院議員たちの間には動揺が走った。驚いたことに、彼らの多くが、予算案の中に遺伝子組み換えに関するこの条項が入っていたことすら知らなかったという。近年次々にスピード可決する法案がどれもそうであるように、包括予算割当法案も分量が多く、意図的に難解な法律用語で書かれていた。

ある一人の民主党議員はこう言った。

「国会ではこうした傾向が、どんどん強くなってきているのです。二〇〇一年の愛国者法は三四二頁、〈オバマ・ケア(医療保険適正価格法(Affordable Care Act))〉は九〇六頁、国防授権法など一〇〇〇頁以上ありました。これではたとえ通常の三倍の人数を動員して連日連夜取り組んだとしても、議員たちが国会審議前にしっかりと内容検証するのはかなり不可能に近い。しかし困ったことに、そうやって長く複雑に書かれた法案ほど、なぜか常に問題のある内容なのです」

だが五七三頁のモンサント保護法に関しては、どのみち同じ結果になっただろう。この条項は議会で議論すらされないまま、水面下で書き加えられていたからだ。

後になってこの条項が、モンタナ選挙区のロイ・ブラント共和党上院議員とモンサント社の共同で作成され、農業委員会や上院歳出委員会のチェックを経ずに予算案に盛り込まれていたことが明らかにされた。

ブラント議員は二〇一〇年の選挙で、モンサント社を始めとする農業ビジネス業界から二四万三〇〇〇ドル(約二四三〇万円)の献金を受け取っている。

民主党のバーバラ・マコースキー上院歳出委員長のホームページには、法案成立の翌日に公式な謝罪文が掲載された。


マコースキー上院議員はモンサント保護法を通過させたことを遺憾に思っています。彼女自身はこうした食に関する規制緩和には今までずっと反対の立場でした。この条項は去年の年末に逝去したイノウエ元上院歳出委員長が許可したもので「財政の崖」とともに審議されました。アメリカの経済が破綻するかどうかの瀬戸際で、私たちは最悪の事態を避けるためにいくつかの妥協を余儀なくされ……。


だがマコースキー議員の釈明は、かえってアメリカ国民の反発を大きくさせた。

農業従事者ラッセル・リードは、同法成立に対し、怒りをこめてこう語る。

「政治家は簡単に悪かったと口にするが、謝ってすむなら議員なんかいらないんだよ。法律は一度通してしまうと取り返しがつかない。このモンサント保護法は六か月の時限立法だが、延長される可能性は高いし、この間にアメリカ国内の農家や消費者が受ける打撃も計り知れな

「私の身体で科学実験をしないで！」
(occupy-monsanto.com, 2012年)

いだろう。アメリカからＧＭ作物を輸入している世界中の国も同様だ」

「オバマ大統領がこのまま撤回を拒否し続けた場合、どうされますか」

「二五万人の署名を無視するくらいだ、撤回はしないだろう。ブラント議員と同じで、オバマ大統領も選挙献金をたっぷりもらっているからだ。ならば最低でも、二〇〇七年の約束だけは果たしてもらうよう要求する」

「二〇〇七年の約束とはなんですか」

「大統領選挙の公約だよ。オバマ大統領はあの選挙キャンペーン中に、全米各地でこう言った。「私が大統領になったら、すべてのＧＭ食品にラベル表示を義務づけます。なぜならアメリカ国民は、自分たちが買った食品の中身を知る権利があるからです」と」

アメリカは先進国で唯一、遺伝子組み換え食品に表示義務がない。

一方、モンサント保護法への反発は過剰反応だとする声もある。

ワシントンに本部がある共和党のシンクタンク、アメリカンエンタープライズ公共政策研究所のラメッシュ・ポンヌル研究員は、この一連の反対運動には利害が絡んでいると批判する。

「自然食品企業はどこも表立ってこの法律の成立を批判するが、それは遺伝子組み換え食品関連企業に対して訴訟を起こすことで、競合商品を市場から締め出せるからだろう。科学的根拠は何もない。理由はひとえに、遺伝子組み換え食品が、彼らのビジネスにとって脅威だからだ」

ワシントン郊外で有機農家を家族経営するリサ・グッテンバーグは、今回の事件と過去のある記憶が重なったという。

「国民が中身をよく知らされず、何か危機を煽られているうちにいつの間にか猛スピードで法律が決められ、結局国民が被害を受けて、後になって政治家が釈明する。どこかで似たような光景を見たと思ったら、あの大義のないイラク戦争でした。

今回マコースキー議員が言い訳に使った「財政の崖」は、あのとき国中があおられた「大量破壊兵器」のようなものでしょう」

だがモンサント保護法通過後の国民の反発の大きさの割には、大統領に届けられた署名数二五万人は少ないのではないか。そう尋ねるとリサはこう答えた。

「今この国では大企業とマスコミが常に共犯関係にあります。あのときアメリカ中の関心は、完全に別なことにそれていました。六月に最高裁判決が出る、同性婚の是非です。どのマスコミもそのニュース一色で、国民はその裏で静かに通過した新法については知らされなかったのです。本当にくやしい。遺伝子組み換え作物の大規模な規制緩和という、取り返しのつかない法律だったのに」

食品安全近代化法――FDAが外国の「食政策」を管理する

実はもう一つ、国民にも多くの国会議員にも詳しい内容が知らされぬまま成立していた、重要な法律がある。

「この法案が成立したら、人々の農産物や食べ物を耕作・売買・消費する自由な選択肢を、最も暴力的に支配する権限を政府に与えることになるだろう。アメリカ合衆国憲法のみならず、自然界の法則にも反している。もっと言えば、これは神の意思に反した法律だ」

カナダ在住の微生物学者シヴ・チョプラ博士がそう言って厳しく批判するのは、二〇一一年一一月に上院を通過し、一月四日にオバマ大統領の署名で成立、二〇一二年七月から施行されている〈食品安全近代化法(S501)=FSMA〉だ。

サルモネラ菌に汚染された卵の消費で発症する食中毒だけで、毎年約一一万八〇〇〇人の患者を出しているアメリカでは、以前から国による予防管理の徹底と事故の際の迅速な原因究明、そして被害拡大防止のためのＦＤＡによる立ち入り検査、記録閲覧、回収の権限などが求められていた。

食品安全近代化法では、国内事業者及び輸入事業者の予防管理責任を罰則をつけて強化することで、予防管理を徹底、事故が起きた際の迅速な原因究明と被害の拡大防止のために、ＦＤＡの検査、記録閲覧、回収などの権限が強化されている。

「ようやくＦＤＡの権限が強化されました。食品事業者への負担は大きくなるでしょうが、少なくともこれで、食中毒を出すような、衛生状態が劣悪で非人道的な業者や工場は、すぐに閉鎖させることができますし、すべての生産者に予防のための厳しい規制を課せるようになるのです」

カリフォルニア州のルイーズ・スローター下院議員は、そう言ってこの法律の成立を歓迎する。

スローター議員が言う「劣悪な衛生状態で非人道的な環境」と聞くと真っ先に浮かぶのは、生産効率だけを追求したアメリカの工業式農業だ。

だが食品安全近代化法の内容を読むと、この問題に一切触れていないどころか、家畜と卵製品に関しては、ＦＤＡではなくＵＳＤＡの管轄だとして除外している。

ＦＤＡの権限強化。

それは一九八〇年代からずっと、食の生産から加工、流通までも傘下に収めてきた食品業界が、望み続けてきたことだった。

〈ＦＳＭＡ（食品安全近代化法）〉は、「バイオテロ防止」の名目で、ＦＤＡが定義する「食品」について、すべての生産者、取扱業者、輸出入業者に登録を義務づける。
①果実、野菜、魚類、乳製品、殻付き卵
②食品もしくはその構成物として使用される未加工の農産品
③（ペットフードも含めた）動物飼料食品および飼料の成分
④食品および飼料の添加物
⑤栄養補助食品・栄養成分
⑥乳児用ミルク
⑦（アルコール飲料やボトル詰め飲料水も含めた）飲料品
⑧生きている食用動物
⑨パン・菓子類、スナック食品、チューインガム

⑩ 缶詰食品
⑪〈食品医薬品化粧品法〉第409条(h)(6)で定義されている食品接触物質(たとえば、食品包装)

「FSMAは、今後アメリカ国民が食べ物を栽培し、売買し、輸送する権利を、政府がすべて規制するという法律です」

オレゴン州オールバニ市で中規模有機農業を営むレベッカ・ランディスは、この法律の内容について州当局に抗議文を提出した一人だ。

「この法律によって、クリントン政権下で中小の食肉加工業者を激減させたHACCPが他の生産物にまで義務化されることに強く反対します。材料の仕入れから調理、保管、出荷までの全工程を国が決めたガイドラインに沿って分析・記録するHACCPの衛生管理システムは、当初政府が言っていたような食肉の安全環境改善などしていません。安全管理を従業員の自主検査に任せ、データ公開義務も一切なかったからです。HACCPの実態は高額な費用や細かすぎる必要手続き、食品追跡義務に沿った膨大な提出書類などの負担で、地域の中小食肉業者を排除して大手食肉業者の寡占化を進める悪法でした。

FSMAはこれを今度は農作物にまで広げるという。私たちのような小規模農家はつぶれます。この法律で規定される水質維持のための費用だけで年間三万ドルかかる、とてもやっていかれません」

「小規模家族経営農家は修正案で適用外にされましたが、それでも負担がかかるということですか」

「たしかにうちのような家族経営の農場は適用外ですが、免除申請をするために細かい調査報告書の作成や納税申告書のまとめ、大量の文書作成を行わなければなりません。適切に行われていなければすぐに厳しく取り締まられるでしょう。この法律は小規模農家や有機農業を守るためのものだと誤解している国会議員やマスコミが多いのですが、実態はまったく逆ですよ。はっきり言います。FSMAは地域の有機農業を破壊します。地元の農場を廃業に追い込み、この国の食料供給を不安定にし、地方の有機食品価格を大きく上昇させるでしょう」

たしかに「年間五〇万ドル以下の生産者」がこの法律の対象外にされたとき、民主党議員やマスコミは、「この法律が政府の陰謀ではないかと、過度に怯える中小農家がいる」と、反対派を牽制していた。だが、レベッカはそれは問題のすりかえだと反論する。

「五〇万ドルなんて、うちのようにわずか一〇エーカー(約六四〇〇メートル四方)の有機野菜農場なら簡単に超えてしまう規模ですよ。今まで大規模な工業式や単一栽培ではない食料生産に成功していた地方の生産者は、今後この年間五〇万ドル以下という枠に入るためにわざわざ経営規模を縮小しなければならなくなる。加えてドルの価値が下落していますから、五〇万ドル枠内に入れなくなる農家はこれからますます増えてゆくでしょう。さらにこの法律は、国内の農家に在来種の種子を保存して翌年使うことも禁止しています。今後農家は巨大アグリビジネスと種子企業の下で、完全に主権を失うことになる。これでは食肉のときと同じように、巨大企業の独占がますます進み、地域の農業や共同体が今よりもさらに壊されてしまいます」

「国会議員たちの間では、食品の安全性を高めるために、FDAの権限を強化することを歓迎する声もありますね?」

だがレベッカは、FDAの権限が必要以上に強くされているこの法律に、むしろ不安を感じると言う。

「業界と政府の間の「回転ドア」を野放しにしたまま今より権限を与えたらどんな結果になるか、容易に想像できます。大体食品規制の執行権限が、なぜFDAだけでなく、財務省や国土安全保障省にまで握られなければならないのでしょう?　それに、これはアメリカと貿易をするすべての国に大きく影響することですが、この法律はFDAに、外国の食品安全計画を指揮する権限も与えているのです」

たしかにＦＳＭＡの第３０５条には、「食品の安全に関する外国政府の能力の構築」と記載されており、第３０８条では具体的に、ＦＤＡが選定した外国に在外事務所を設置し、アメリカに食品を輸出するすべての外国政府および食品産業に対し、食品安全計画を指揮する権限をＦＤＡに与えている。

アメリカが外国政府のための食品計画を作成する際に関わるメンバーは、ＦＤＡ長官を始め、農務長官、財務長官、国土安全保障長官、米国通商代表、商務長官、国務長官、食品業界の代表、外国政府職員、消費者の利益代表および他の利害関係者だという。

また、「安全な電子データ共有体制」を諸外国に提供させることで、ＦＤＡがその国の食品生産活動を電子的に追跡・モニターできるようになるのだ。

他国の食品安全計画についてのルールをアメリカが決める。

レベッカの指摘するように、それは「深刻な社会問題と化している食中毒防止」という、ＦＳＭＡ成立当初の大義名分とは大きくかけ離れた奇妙な内容だ。

一体これは、誰のための法律なのだろう。

一方、ロサンゼルスのシーダー医療センターで副院長を務めるグレン・ブラウンスティン博士は、アメリカで急増する食中毒患者数を考えると、これは必要な措置だと言う。

「この国で売られている食品の輸入率は年々上昇しているからです。魚介類は八割、果物は五割、野菜は二割が外国からの製品です。が、輸入品は安いが食品汚染のリスクも高い。二〇一一年も全米一五州でメキシコ産マンゴーを食べた患者一二七人がサルモネラ菌中毒で病院に運ばれています。早急な国際的な食品安全基準の策定と、各国にそれを守らせる国際ルールが必要です」

ブラウンスティン博士はオバマ政権がFSMAを成立させたことを高く評価すると言う。この法律はFDAが、米国および貿易相手国の食品および栄養補助食品産業を、世界的な食品規格基準であるコーデックス(Codex)に「調和させる」と書いてあるからだ。

アメリカ人や日本人の大半がそうであるように、ブラウンスティン博士もまた、国際基準の存在に、強い信頼を置いている。

コーデックス委員会は、消費者の健康と、公正な食品貿易推進を目的として、一九六三年にFAO(国際連合食糧農業機関)とWHO(世界保健機関)によって設置された国際政府機関だ。

この委員会は各国政府から、世界の食と健康産業における貿易上の共通基準設定業務を一任されている。

「二年に一度開かれるこの会議の内容は、マスコミにはほとんど出てきません」

ビタミンC欠乏と心臓病の相関を発見し、『なぜ心臓発作は動物に起きず人間だけが起こすのか』など世界的ミリオンセラーの著者であるマチアス・ラス博士は、コーデックス委員会の中立性に対する疑問を語る。

「この委員会に代表を出すことを許可されている団体の半数以上は多国籍製薬企業で、消費者側の代表は国際消費者組合(International Consumer Union)だけです。一般市民は会議には参加できません。二年に一度開かれるコーデックス会議の内容は、マスコミには報道されずホームページでのみ閲覧可能なため、この委員会の存在自体、ほとんど知られていないのです」

コーデックス委員会のメンバーを見ると、日本の関連企業だけでも以下のような顔ぶれが並んでいる。

住友化学、北興化学工業、クミアイ化学工業、三井東圧化学、日本農薬、日本曹達、エス・ディー・エス バイオテック、日本冷凍食品検査協会、日本食品添加物協会、全国トマト工業会、日本食品衛生協会、日本健康・栄養食品協会、農薬工業会、国際栄養食品協会、国際酪農連盟、日本動物用医薬品協会、日本輸入食品安全推進協会、ネスレ、ペプシコ、メルク、バイエル、ロシュ・ダイアグノスティックス、コカ・コーラ、モンサント。

この委員会が設定する食品安全規格は、何をもって決められるのだろう。

二〇〇五年。カリフォルニア州サンラファエルで行われた全国栄養学者連盟（NANP）の記念イベントで、栄養学の専門家で自然療法基金医療ディレクターのリマ・ライボー博士は、コーデックス委員会が特定の栄養素を毒物として定義したことを告発した。

「コーデックス委員会は一九九四年に、栄養素は危険だとして、臨床的に治療効果があると言われているものであっても、麻薬と同等の毒物として法律で禁止することを決めました。そして家畜には成長ホルモンと抗生物質を投与し、食品は生で口にするもの以外放射線照射を受けることを推奨している。いったいコーデックス委員会のホームページに記載されている輸入食品用添加物リストの、アルドレンやヘキサクロロベンゼンといった有害物質を使用したいのは消費者ですか？　それとも売る側の企業でしょうか？　これらを添加した食品の輸入を水際で止めようとすると、それは取引違反になるのです」

現在コーデックス基準に国際的強制力や罰則はない。だがFSMAの条文によると、今後アメリカ政府が自国と貿易相手国に受け入れを要請する「食の安全ルール」の内容は、この基準に合わせて作られるのだ。

FSMA第308条には、このルールに含まれるべき内容として以下の事項が書いてある。

①二国間及び多国間合意に関する勧告

② 検査報告の多国間認証(recognition)
③ アメリカの食品安全要求事項についての外国政府及び生産者の教育・訓練
④ コーデックス要求事項との調和に関する勧告
⑤ 試験方法、発見方法等に関する多国間合意

この法律は、アメリカ国内で食の生産と流通を完全に握った数社の多国籍企業の近未来にとって、大きな前進を意味している。

今後「食」を通した世界のパワーバランスは、さらに大きく変えられてゆくだろう。「食」に関する国際条約と貿易協定が、アメリカを含むすべての国の国内法を超越する新法、FSMAによって。

第3章
GM種子で世界を支配する

災害援助物資の袋の中味は……?
(ハイチ, 2010年1月, 写真:AP/アフロ)

自由化で消える中小農家

二〇一一年一二月一四日。

オバマ大統領はノースカロライナの米軍基地で、大勢の軍人たちを前にイラク戦争終結についてのスピーチをした。大統領はイラク戦争にかかわったすべての兵士たちをねぎらったあと、力強くこう宣言した。

「イラクは完全な国ではない。しかし、我々は、独立した主権国家となったイラクを後にする。アメリカは並々ならぬ功績を挙げたのだ」

だが八年にわたるイラク侵攻が終わりを告げたあと、ふたを開けてみると主権を握ったのはイラク国民ではなく多国籍企業だった。中でも石油関連企業や金融機関と並び、同地域での莫大な力を手に入れたのは、アメリカで一九八〇年代から着々と大規模化していた「アグリビジネス（農産複合体）」だ。

さかのぼること二〇〇三年。USDA（農務省）と米軍の両者は、イラクの農業が「深刻な危機」にあることを報告した。

それによるとイラクで過去一〇年の間に主要穀物の生産高が半分に減っているのは、サダム・フセインの悪政が原因だという。

報告書によると、イラク政府が農民に毎年小麦を休みなくフル生産し続けることを強制していたために、休耕期間がとれず、土壌劣化や浸食で生産性が低下し続けているという。肥沃さが失われた土地からは翌年使うための上質な種子もとれない上に、一九九九年から二〇〇〇年にかけての干魃がとどめを刺した。やっと独裁者の悪政から解放されたイラクに、再び強い農業を取り戻させるよう、アメリカが援助の手を差し伸べる必要があるというのだ。

だが、これは奇妙な話だった。アメリカ本国ではクリントン政権が一九九六年に、それとまったく同じことをしているからだ。

一九三〇年代以降、アメリカでは急激な価格変動や過剰生産による価格下落と土壌劣化から農業を守るため、政府による休耕政策や作物貯蔵プログラムが実施されていた。

だがこれは大規模アグリビジネスが、単一栽培で輸出用穀物を大量生産するには非効率だ。そこでクリントン政権は一九九六年に農業を自由化する〈新農業法〉を成立させ、減反政策および所得補償制度を廃止、生産量は生産者が自由に決定できるようにした。

この改正によりフル生産が可能になり、生産量が急増して価格は下落、生産効率の悪い中小規模の農家は競争にさらされ、生産効率を上げるために新しい技術、新型の機械、より大量の農薬導入を繰り返すことになった。だがこれは、生産コストを下げるために大量生産をすることで生産高を増やし、市場価格を下落させるという悪循環を生んでしまう。

大量生産ができない伝統的な農家や、生き残るために工業式に切り替えたものの、長期にわたる価格下落で設備投資を回収できなくなった中小農家は、次々に破産していった。新農業法のもたらしたものは、大規模アグリビジネスのさらなる一人勝ちだった。

一九九八年、アジア金融危機とアメリカの農産物輸出量の激減で価格が急落した際、政府は「緊急援助」として巨額の作物補助金を拠出する。だがこの補助金もまた、すでに寡占化と工業化で二極化した農業構造のなか、一握りのアグリビジネスにのみ流れ、援助を本当に必要としていた家族経営農家には届かなかった。

その後、情報公開法により、その内訳が公開される。

政府文書によると、一九九八年から二〇〇三年までの五年間で、「フォーチュン500」に掲載されている企業一一社を含む上位二〇％の大規模農場の補助金受給額は毎年平均一〇〇万ドル(約一億円)、残り八〇％の中小農家は平均五八三〇ドル(約五八万円)だった。

ワシントンに本部を持つ非営利の市民団体「政府の無駄遣いに反対する市民連合」(Citizens

Against Government Waste＝CAGW）の農業政策ディレクター、ジョン・フェルディランドは、こうした一連の自由化を称賛する。

「グローバル化による価格競争が激化するなかで、農業の国際競争力を奪う今までの過度な政府介入は間違いでした。保護しすぎれば農業は堕落し、既得権益にしがみつくようになる。適切な競争を導入することによって、農家もまた市場の動向を勉強し、知恵を使った戦略を立てるようになるのです。そうやって切磋琢磨することで、大きく成長してゆくのです」

CAGWはJ・P・グレースという化学製品メーカーの社長によって一九八四年に設立された保守派の市民団体で、一般市民の他にタバコ会社やウォール街、石油メーカーなどの大手業界スポンサーがついている。その使命は政府による無駄遣いを監視し、国民の自由と税金を守ることだという。

だが過去数十年の間に「食」をめぐる構造は急速に変化し、流通市場を支配する大企業と生産者の格差は拡大する一方だ。今ではたとえ広い土地を持っていたとしても、農家自体が持つ実権は殆どない。経営能力に優れ、大企業とわたり合いながら生き残っている農家も、ふたを開けてみると多くの場合、農場、種子、肥料の配分、農機具にいたるまで大企業に細かく指示され、種子の保存も許されず、雇用主に言われるままに働くというシステムができている。

政府の介入を極力させず、価格競争を勝ち抜ける強い農業ができたとしても、その利益はすべて、頂点にいる少数の大企業幹部とその株主に流れこんでゆくのだ。

企業参入で無国籍化する農業

ＣＡＧＷのフェルディランドを始め、アメリカ国内で「農業の大規模工業化」を推進する声は年々高まる一方だ。グローバル化における競争力として欠かせない技術、資本、市場獲得へのアプローチをより効率的に得るための手段として、「農業への企業参入拡大」政策が産業界からの強い要請で前面に出されている。

実際、アメリカ国内で主流だった農家や同族会社の農地および生産施設は、この数十年で次々と巨大農業関連企業の管理下へと移行していった。

前述した農業経済学者のジョン・イカード博士は、こうした価格競争のための生産拡大と農業への企業参入推進政策に警鐘を鳴らす。

「アメリカでは、もはや国民が自国の農業をコントロールできなくなっています。食べ物を、誰が、どこで、どのように、どれだけ生産するのかを決める決定権が、アメリカ人から多国籍企業に急速に移っているからです。現場の労働者はまだアメリカ人ですが、生産に関する決定に関しては、国外で誰か他の人がしているのです。

外国の人は、アメリカの農業は大規模で生産性が高く、政府が農業を守っていると言う。けれど守られているのは農家ではありません。多くの場合、それはアメリカ人ですらないのです」

イカード博士の言うように、今ではアメリカの農家が大企業と契約する際、その条件は個人ではなく農業関連企業によって決められる。

多国籍アグリビジネスは、政府を味方につけて大規模化を阻む国内法の改正を繰り返し、ウォール街の後押しで寡占化、市場を独占した結果、株主の顔ぶれも、市場も生産地も、あらゆるものが国境を越えたのだ。

生産効率と利益拡大を旗印に際限なく加速するこの流れのなか、生産者である農家もまた、末端で働く歯車としての労働者になりつつある。農業を取り巻く付加価値であった文化や伝統、地域社会や共同体といったものは、所有企業がその土地や国から遠く離れるほど、意味を持たなくなってゆく。

多国籍企業の夢の地——イラク

二〇一三年三月。開始から一〇年目を迎えたイラク戦争の検証が、世界各地で新聞の一面を飾った。欧米の大手メディアが開始理由の是非にあまり触れず、ごく控えめに戦争後の復興を肯定的に取り上げる一方で、各国の市民団体はしっかりとこの戦争の負の側面に踏み込んだ。

取り上げられたのは当初の大義名分であった大量破壊兵器や9・11との関係、後に事実ではないことがわかった戦争開始理由、それを作り上げた米英政府とマスコミへの批判、イラクにおける百万人単位の死者数や数百万人の国外難民、劣化ウラン弾による環境汚染や大量の米兵死傷者、自由化によって欧米の多国籍企業が手にした巨大な石油・金融利権など多岐にわたっていた。

カナダの調査ジャーナリストであるナオミ・クラインは、イラク戦争後の自由化政策を、恐怖をあおり新自由主義政策を強行する「ショック・ドクトリン(ショックな事件が起きたとき、人々が思考停止している間に過激な政策を実行する手法)」だと批判している。

イラク戦争は政府が従軍記者制度によって完全報道規制をしいたため、アメリカ国民の大半が「あの戦争開始は間違いだった」と認識したのは、多大な人的・経済的犠牲を払った後だった。この間アメリカで上映されたイラク戦争関連の映画も、戦争開始理由などの政治的側面よりも、米兵の目線から彼らの苦悩に焦点をあてて作られたものがほとんどだ。

ニューヨークの非営利団体「インターナショナル・アクションセンター」の職員、サラ・ホラウンダーは、これを危険な兆候だと指摘する。

「これは湾岸戦争以降に始まった戦争の特徴ですが、イラク戦争も情報戦争でした。アメリカ国民の大半は、経済を圧迫した推定三兆ドルの戦争費用と死傷者数を見て、イラク戦争を批判するようになりましたが、断片的な情報だけ見ているため、あくまでも一般的な括りでの戦争被害に対する怒りが大きい。オバマ大統領の撤退宣言で彼らのなかのイラクは、教科書に出てくるベトナム戦争と同列の、過去の戦争になったのです。

イラク戦争への批判は出てきても、イラクの今は語られない。アメリカではテレビから消えることは存在しないことと同じになってしまう。これはアメリカ国民にとって、本当に危険な兆候です」

多くのアメリカ国民のなかで、オバマ大統領の終結宣言でイラク戦争は過去になり、そこで今も続いていることへの関心は、時間と共に薄れていった。ちょうど、二〇一一年三月に事故を起こし、今も毎時一〇〇〇万ベクレルの放射性物質を放出し続ける福島第一原発が、総理の収束宣言以降ニュースの中心から消え、多くの日本人の危機感が薄れてしまったように。

だがサラの言うとおり、これは国民にとって大きなリスクになるだろう。なぜなら歴史には終わりがない、時を経て忘れたころに、再びくり返されるからだ。

「アメリカ国民が関心を失うべきではなかったイラクの実態とは何でしょうか」

「イラクでアメリカがしたことは、物理的な破壊だけではありません。もっと根本的に、国の枠組みを合法的に作り変えたのです。イラクはいまや多国籍企業にとって夢の地と呼ばれています。その理由を、アメリカ国民は誰よりも直視すべきでしょう。なぜならそれは今まさに、私たちアメリカ人の身に起きていることだからです」

＊

二〇〇四年四月。バグダッド陥落後のイラクで、ポール・ブレマー指揮官率いるCPA（連合国暫定当局）が作成した一〇〇本の法律が施行された。〈一〇〇の命令（100 Order）〉と呼ばれるこの法律の内容を見ると、アメリカ政府が八〇年代から自国民に実行してきた政策と、見事に方向性が一致している。

ブレマーは手始めに、国内法で強固に守られていたイラクの経済と産業を解体した。国営企業二〇〇社はあっさりと民営化され、外資系企業に一〇〇％の株式所有と四〇年の営業権が与えられた。

オーナーが外国法人に変わると、従業員の労働条件は「グローバル市場における価格競争力強化」に合わせ、大幅に切り下げられる。イラク人失業者の急増とコスト削減で急速に拡大した収益は、一ドルたりともイラク国内に残らなかった。外国企業が国内で得た売り上げの一部を政府に還元するという通常規定が撤廃され、利益はすべて国外に送金されたからだ。

さらに、外資系企業が参入しやすくするために、CPAは四〇%だった法人税を一五%に削減、イラクを出入りする物資にかかる関税、輸入税、ライセンス料などもすべて廃止した。これによりイラク国内に大量の外国製品が流れ込み、イラクの国内産業を次々に破綻に追いこんだことはあまり知られていない。銀行とマスコミの株式が最大五〇%まで開放されたおかげで、金融と情報は外資系企業にしっかりと押さえられていたからだ。多くのアメリカ国民は、むしろ今でもイラクの状況はいい方向に向かっていると思い込んでいる。

たくさんの商品が並ぶイラク国内の映像は、そのたびに欧米メディアによって「自由を手に入れ復興するイラク」という明るいイメージのキャプションつきで流されていた。

CPAの〈一〇〇の命令〉は、イラク国内法の上に位置づけられており、矛盾が起きた場合は国内法の方を改正させられる。

そのなかでイラクの食の運命を大きく変えたのが、〈命令81号〉だった。

命令81号

一万年もの間、イラク農家は毎年地域の気候に合わせた小麦を多種多様な選択肢の中から選び、翌年のために保存した種子を最適な形で交配させ、進化させてきた歴史を持っている。二〇〇二年のFAO(世界食糧機関)データによると、このころイラク農家の九七%が、種子を前年の作物か地域の市場から確保していたという。二〇万種という多様な小麦を作り出してきたイラクで農業生産率を回復するために、こうした国内農家の知恵と地域内の情報共有を再活性化することが不可欠なのは、誰の目にも明らかだった。

だがアメリカ政府の頭の中には、別な計画が用意されていた。

「イラクの農業は、今後近代化させてゆく」

「イラク農家に必要なのは最新の農業技術と、それを最大限生かすための適切な農業システムだ。アメリカで大成功を収めている大規模農業ビジネスをここでもおおいに展開するための早急な構造改革を始めなければならない」

米軍本部はイラク農業再生計画について、アメリカ国内でこう発表した。

「よってイラクのニネベ地域には、多国籍軍の手で「未来のための種」が植えられることになる」

手始めにイラクの農民たちに対して、近代化された農業についての大規模な教育が開始された。このプロジェクトを担当したのは、ワシントンを拠点とするアメリカ穀物協会が経営するテキサスA&M大学だ。同協会は米国内の産業界、アグリビジネス企業群やUSDAに支援され、全世界を対象にした、米国輸出産業拡大用のバイオ市場開拓プログラムをプロデュースしている。

一年以内に生産量を倍にするこのプロジェクトのために、イラク国内で八〇〇エーカーの土地が選ばれた。使用するのは、みるみるうちに生産高が倍増する「米国製の魔法の種子」だ。一年後に生産量は倍増し、驚嘆するイラク農民にA&Mはアメリカ製GM種子と農薬、農耕器具をもれなく提供し、この素晴らしい近代手法に切り替えるよう奨励した。スポンサー企業はこの業界の三大大手、モンサント、カーギル、ダウ・ケミカルだ。

アリゾナ州に本社を持つワールド・ワイド・ウィート社(WWW社)も負けていなかった。こちらはバグダッドの農民に一〇〇ポンド(約四五四キログラム)のGM小麦と農薬のセットを無料で提供、作付けのノウハウをきめ細かく教え、目覚ましい生産高を達成する。この成果はビジネス誌に大きく取り上げられ、投資家たちの関心を引きつけた。

こうした一連の動きのなかで、イラクの食と農業の運命を大きく変えた法律が、CPA81令〈特許・工業デザイン・未公開情報・集積回路・植物品種法(Amendments to Patent, Industrial Design, Undisclosed Information,Integrated Circuits and Plant Variety Law)〉だ。(CPA Order81)

CPA81令は〈一〇〇の命令〉の中では目立たず、アメリカ国内のマスコミにもまったくと言っていいほど取り上げられなかった。だがこの「知的財産権」という項目は、その後、世界の国家間パワーゲームを左右する、強力な道具となってゆく。

それまでのイラクには、生命体に特許をつけるという発想も、そうした法律も存在しなかった。だがCPA81令の〈植物品種法(plant variety protected=PVP)〉によって、イラクの国内法は見事に上書きされることになる。

「今後あらゆる新製品やその製造技術は特許で保護される。保護された製品は、二〇年間の保護期間、特許所有者の許可なしでの不正利用、製造、使用および販売をしてはならない」

長い歴史を持つイラク農民の伝統には終止符が打たれた。前年の種子を保存したり、隣近所の農家同士で交換や交配させる行為が、突如として違法になったのだ。

PVPは表向きはイラク国民にも平等な法律だったが、一九九〇年代からの国連経済制裁と干魃で疲弊し、食料すら国連支援に頼っていたイラク農民たちには、新種を開発し特許を取るチャンスなどなかった。たとえ原資があったとしても、新しく特許で保護される種子は、新種で他に類がなく、均一で不変という性質を条件としており、どのみちイラクの在来種とは一致しない。特許期間は、種子は二〇年、ツル植物と樹木は二五年だ。アグリビジネス企業のＧＭ種子ばかりが、次々に特許を取得していった。

ＣＰＡの農業近代化キャンペーンで提供されたＧＭ種子と農薬、新技術を一度でも使用したイラク農民は、自動的に提供元大企業のテクノロジー同意書に署名させられる。その後は毎年、使用料とライセンス料の請求書が送られてくるしくみだった。

モンサント社のＧＭ種子を使用する農家は、アメリカやカナダを始め、世界中どこでも同様のライセンス契約を結ばされる。

・自分の農家で採れた種子を翌年使用することは禁止
・毎年種子はモンサント社から購入
・農薬は必ずモンサント社から買う
・毎年ライセンス料をモンサント社に支払う
・何かトラブルが起きた際はその内容を他者に漏洩しない

・契約後三年は、モンサント社の私設警察による農場立ち入りを許可する

何百年にもわたりイラク農家が開発してきた小麦や大麦、豆類やナツメヤシといった重要作物の代わりに広がっていったのは、近代化され工業化された、輸出にピッタリな大規模生産のGM作物だった。これ以降イラク農家は、すべての種子を毎年必ずモンサントやシンジェンタ、ダウ・ケミカルのような大手アメリカ企業から買わなければならなくなった。

「イラクに民主主義の種を植えるというのは、壮大な茶番でした」

そう語るのはニューデリー在住の金融ジャーナリスト、ラーザ・ジシュヌだ。

「ブッシュ元大統領は、アメリカがイラクに民主主義の種を植えたと言い、オバマ大統領は米軍がイラクを主権国家にしたと言う。けれど実際は、合法的な略奪でした。イラク市民の食料安全保障における自立を支援すると言いながら、81令のような「非常に有害な新法」でイラクの農地をアグリビジネスの国外生産地にし、誇り高いイラク農民を現地の雇われ労働者にしてしまった。そこで大量生産される製品は、イラク国民の口には入りません。すべてグローバル市場に輸出されるのです」

「イラク農民に選択肢はありましたか」

「選択肢など実質ないも同然でした。経済制裁と干魃、そして米軍のイラク侵攻によって離

農寸前だったイラク農民に、ＣＰＡは再び農業を始めるよう呼びかけました。スローガンは「イラクに強い農業を」。やっと農業を再開できると期待したイラク農民が再開申請をＵＳＤＡに出すと、暫定政府は彼らに、途上国開発支援のＵＳＡＩＤ（アメリカ国際開発庁）から送られてきた種子と農薬を、補助金つきで無料提供したのです。これは見事な連携でした。ご存知のようにＧＭ種子は、一度使えば毎年使うことになるからです」

「イラク農民はそれがＧＭ種子だと知っていたのでしょうか」

「いいえ。彼らには無償で提供される、「スターターキット」の中身を知る術《すべ》はありませんでした。ＵＳＡＩＤが判別データの公開を拒否したからです。後になってそれらがすべてＧＭ種子だったと農民たちが気づいたときにはすでに遅く、彼らは毎年の特許使用料を永遠に支払わされるサイクルに呑み込まれていました」

「世界的に有名だった、イラクの在来種はどうなったのでしょうか」

「イラク人の種子バンクは米軍に爆撃されました。フセインの時代の農務大臣が、緊急用にシリアの都市アレッポにあるＩＣＡＲＤＡ（国際乾燥地農業研究センター）に預けていた一部の種子以外、種子バンクに保存されていたイラクの貴重な種子はすべて破壊されたのです。イラク人にとって屈辱的なことに、世界に誇る種子バンクがあった場所は、今ではまったく別の理由で、世界的に有名にされてしまいました」
「それはどこですか」
「アブグレイブですよ」

「白い金塊」で綿の生産量が五倍に！——インド

一九九五年から二〇〇〇年までの五年間で、モンサント社は世界各地で約五〇の種子会社を買収した。一九九九年、同社はかねてから出資していた綿花生産世界第三位のインド大手種子企業マヒコ社を買収、その後二〇〇一年に、インドでのＢｔ綿の販売許可を取得する。Ｂｔ綿は遺伝子操作技術で細菌由来の殺虫性毒素を導入した、蛾の幼虫を寄せ付けないＧＭ綿だ。

翌二〇〇二年、モンサント社はインドに進出し、在来種より高価なこのＢｔ綿が殺虫剤使用量を減らし生産量を倍増させるという、大々的な広告キャンペーンを展開する。

この時点でインドの農民たちに選択肢はなかった。インド政府の指揮により、市場では在来種の四倍の値段のＢｔ綿種子しか売られなくなったからだ。綿農家は高価なＢｔ綿種子を買うために、借金をし始めた。その時点で貸金業者もモンサント系列になっていたが、生産高が激増すれば元は取れるだろうと、何も知らない農民たちは安易に期待していた。

GM作物について規定のない国
多くの地域でGM作物禁止法のある国
GM作物が入っていない，あるいは国が禁止令を出している国

GM作物輸入禁止状況（PreventDisease.com）

二〇〇二年に四万ヘクタールだったＢｔ綿花の作付け面積は、二〇〇四年には五五万ヘクタールに拡大する。Ｂｔ綿で農薬使用量が減ることで、綿花農家の収入が増えることを期待したインド政府は、すぐに新たな五種類のＢｔ綿花の商業栽培を許可した。だが〇五年に、当初のＢｔ綿花三種の認可期限が切れると、インド国内のＮＧＯや農業学者から、環境省に認可延長への待ったがかかる。Ｂｔ綿花を導入したアンドラプラデシュ州内での三年間にわたる調査データから、収穫量が下降し、二二五軒ある農家の収入も平均六割減、肝心の農薬使用量も、農薬に対し耐性強化した害虫によって倍増していたことが発覚したからだ。

　そもそもアメリカの気候に合わせて開発されたＢｔ綿が、降水量の多いインドで同じように収穫量を上げること自体、容易ではない。予期していなかった大きな被害に打撃をうける農民たちを、さらに世界市場での綿花価格急落が襲った。政府に巨額の補助金で保護されたアメリカ産綿花の過剰供給が、市場の価格を押し下げたのだ。

農民たちは膨れ上がる支払いに首が回らなくなり、次々に自殺に追い込まれていった。二〇〇〇年の半ばから農民の自殺率は急上昇し、二〇一一年までに自殺者数は二七万人に達した。

マヒコ社側はこれに対し、「Ｂｔ綿花の収穫量は、在来種と比較して前年より五八％収穫量が上昇し、収入も一六三％増えたはずだ」と反論したが、ＧＭ種子の生産量と農薬使用量については、世界各地からも「生産量が増えるのは最初の数年だけで、農薬使用量は結局増量した」という同様の報告が出ていた。

二〇〇四年にアメリカのアイダホ州科学環境政策センターのチャールズ・ベンブルックが行った調査では、ＧＭ作物は使用を開始してから三年ほどは農薬減少をもたらすが、その後は使用量が次第に増えてゆくことを示している。ＧＭ種子とセットで売られる強力な除草剤の使用を続けるうちに、進化して耐性を持つ雑草が出現し、それに対し今度は別の除草剤を使用するといういたちごっこが、農薬使用量を増やすからだ。

もう一つのノーベル賞と呼ばれるライト・ライブリフッド賞受賞者で、インドの哲学者・環境活動家のヴァンダナ・シヴァは、GM種子を「第二の緑の革命」だとして批判する。

彼女によると、一九七〇年代の緑の革命は、化学薬剤の売り上げを増やすという裏の目的と共に、食料増産という目的があったが、今度の緑の革命は種子を知的所有物として登録し、特許使用料を回収し、農家をGM種子に依存させるしくみに巻き込んでゆくものだという。

ヴァンダナ・シヴァ率いる環境団体は、一九九八年からモンサント社をインドから撤退させるための活動を続けている。だがインド国内の種子企業のほとんどを手中に収めた同社には、活動家の反発はさほど脅威になっていない。

世界トップクラスの多国籍企業にとって、大半が読み書きすらできないインド農民たちを引き込むのはそう難しいことではないからだ。インドの映画スターたちを起用した華やかな宣伝やテレビCM、「白い金塊」「奇跡の種」といった魅力的なフレーズ、洗練されたマーケティング戦略に、生産量低下で希望を失っていたインド農民たちは夢中になった。彼らは「大金持ちになれますよ」という販売者のセールストークを鵜呑みにし、内容もよく理解しないまま契約書にサインした。種子や農薬についてくる取扱説明書は英語だったが、字の読めない農民たちにはどのみち不要だっただろう。こうしてモンサント社のマーケティングは大成功を収め、ついにBt綿花の全国制覇を実現したのだった。

二〇一一年の国際アグリバイオ事業団の報告書によると、農民自殺者が増加し続けているにもかかわらず、インドにおけるＢｔ綿の栽培面積は前年の一五％増加し、綿花全体の八八％を占めている。

国内で年々拡大する強力な反ＧＭ活動、多くの農業学者たちの懸念、上昇を続ける農民の自殺率。こうした負の要素にもかかわらず、インド政府が今もＧＭ種子推進を続ける背景にあるものとは何か。

そのヒントは二〇〇五年に締結された、ある政府間協定だ。

インドとアメリカの「1％」が手を結ぶ

二〇〇五年七月一八日。当時のアメリカのブッシュ大統領とインドのシン首相は、「米印農業知識イニシアティブ(Agricultural Knowledge Initiative＝ＡＫＩ)に調印した。

ＡＫＩは「インド農業の人材育成・研究制度の基盤作りへのアメリカの大学による積極的な参画」を規定し、「新たなパートナーシップの形成」を提案する内容だ。学会や民間企業、政府関係者などから成る委員会のアメリカ企業代表には、モンサント社、アーチャー・ダニエルズ・ミッドランド社といったトップバイオ企業やスーパー最大手のウォルマート社が入っている。

インドの市場開放に熱心だったメンバーはアメリカ系アグリビジネスだけでなく、シンジェンタや、テスコ、カルフールなどの欧州企業、そしてインド国内でGM種子ビジネス参入をねらう大手老舗企業タタなどだった。

一二億の人口を抱えるインドでは、「1%と99%」の構図で描かれるアメリカをはるかにしのぐスピードで二極化が進行している。あらゆるものを民営化するというアメリカモデルは、一九九一年以降それを取り入れたインドの経済成長と国内格差を、猛スピードで後押しした。人口の一%ならぬわずか〇・一%に相当する超富裕層が、GDP(国内総生産)の約四分の一を所有しているからだ。タタ、リライアンス、インフォシス、ミッタル、ムケシュ、エッサール、ベーダンタ、ジンダルなど、ほんの一握りの企業群がインドという広大な国を支配し、さらにその市場をアジアやアフリカ、南米やヨーロッパへと拡大している。

たとえばインド国内最大の民間電力会社でもあるタタ財閥は、現在世界八〇か国で一〇〇以上の企業を経営し、ガス田、自動車、ホテルチェーン、鉄鋼、主要輸出資源である鉱山、出版、通信、食品、化粧品、ケーブルテレビを所有、インド内にある都市の一つを丸ごと運営している。

多国籍企業は規模が大きくなるほどに、国境を越えたネットワークを形成してゆく。インドとアメリカの「1%」層も、国内外で効率よく市場を拡大する知恵を共有し合っていた。インドの上流階級は、ほぼ全員が自分の子どもをハーバードなどアメリカの一流大学に留学させる。これはアメリカにとっては効率の良い投資だろう。アメリカ流グローバリズムを学んだ子どもたちは、やがて国際機関や、自国での高い地位に就き、多国籍企業のための環境を整える有益な存在となるからだ。

アメリカが過去三〇年に国内外で市場拡大を進めた際、キーワードとなった「規制緩和」と「民営化」政策が、セットで導入された個人情報一元化政策によって最大の効率を上げたことを、インドの〇・一%層は注意深く観察していた。

かくしてインド政府は、国内で進める民営化政策に国民が激しく抵抗したとき、アメリカの成功例を適用する。生体認証と個人情報を一元化する「マイナンバー制度」を導入し、警察の権限を拡大したのだ。これによって土地の買収に抵抗する農民や、政府の政策に反対する国民は刑罰の対象にすることができ、政府の政策はスムーズに実行されたのだった。

国境を越えて共通する多国籍企業群の目的は、グローバル市場でインド系企業の存在感を拡大し、食の安全保障と経済成長を実現させたいという、インド政府の思惑と一致した。

インド政府は外資企業誘致のための規制緩和政策を積極的に実行し、アメリカ政府はAKIに基づく農業拡大への全面的な協力を約束する。インド農業への大規模投資やインフラ整備、技術移転といった一連の業務についての「知的財産権」を所有するのは、イラクのケースと同様に、すべてアメリカ系アグリビジネスだった。

インドは農業に関してだけは開放が遅いと言われるが、実際には政府間協定であるAKIやUSAIDの後押しで、アメリカ系アグリビジネスのGM種子は確実に浸透し続けている。

二〇一二年八月、インド下院農業委員会は、二年にわたる調査報告データを公表、GM種子が農家の主権を失わせることや、収穫量が必ずしも増えていない事実を指摘し、外国のアグリビジネスが介入しない中立な安全性審査、GMラベル表示の義務化、および遺伝子組み換え作物の試験栽培禁止などを求める要請を満場一致で採択した。

インド国内では現在、GM種子からの脱却を求める声と、ますます推進していこうとする二つの流れがせめぎ合っている。

だがこの問題の本質は、Bt綿花の有効性の是非よりも、GM種子特許をめぐる契約がもたらす、依存関係の方だろう。

二〇〇一年一二月にGM種子企業のビジネスチャンスを大きく開いたのは、アメリカ最高裁判所が出した判決だ。植物を始めとする「生命体の特許」を認める同判決は、GM種子企業が世界の隅々まで市場を開拓するための、重要なパスポートになる。イラクの例でもそうだったように、インド農家から主権を奪い、インドをアメリカ系アグリビジネスの輸出用生産地に変える際、大きな役割を果たしたのは、多国籍企業の世界市場拡大にとって最も強力な、「知的財産権」という武器だった。

輸出用GM農地と化したアルゼンチン

GM種子の安全性議論が平行線をたどる一方で、GM種子企業は最初に自国アメリカを、それから他国の農業を、次々に輸出専門の巨大産業に変えていった。このプロセスはモンサント社を始めアグリビジネスにとって常に有利な展開になる。農地が集約され、国民の食料安全保障である伝統的農業が輸出用大規模単一栽培と化し、種子企業との依存関係の中でコントロールを失った農民たちが、経済的に追いつめられてゆくパターンだ。

「世界の穀物倉」と呼ばれる農業大国から、GM種子導入後わずか一〇年で世界第二位のGM作物輸出国となったアルゼンチンも、そのわかりやすい一例だろう。

大量破壊兵器の存在をあおり、独裁者を排除した後にアメリカ流民主主義を手ほどきするというイラクのケースと違い、アルゼンチンへのＧＭ種子導入に一役買ったのはＩＭＦ（国際通貨基金）だった。

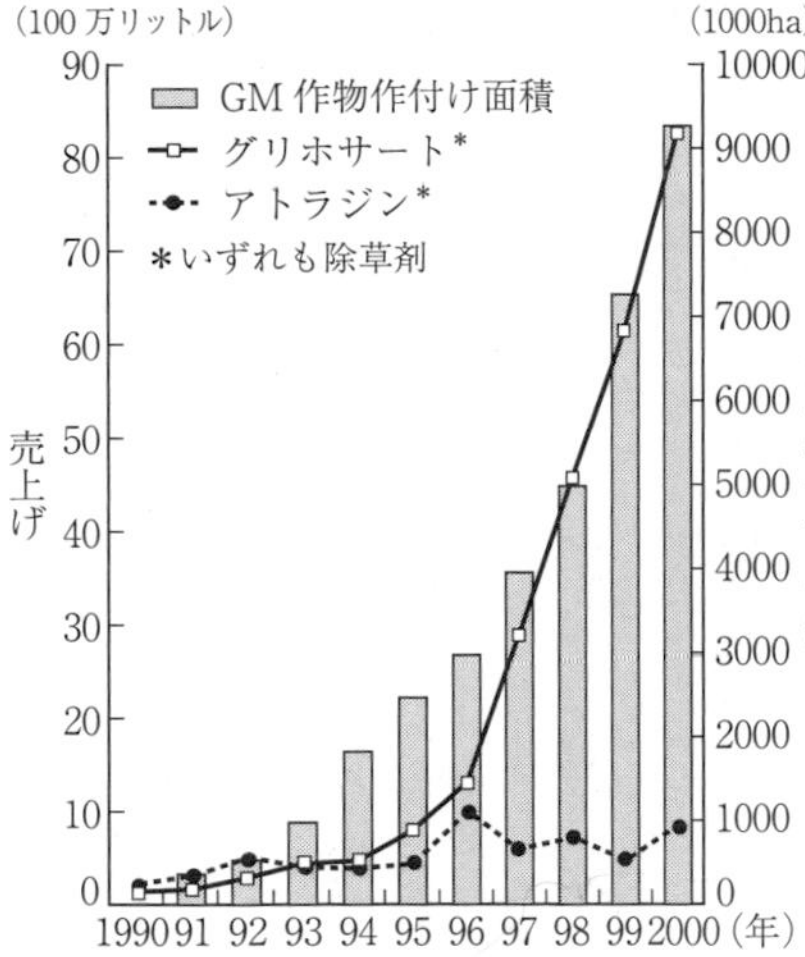

アルゼンチンのGM作物作付け面積および除草剤売り上げ量の推移（Trigo et al 2002 データ，agbioforum.org）

一九八〇年代初めまで、アルゼンチンは多くの小規模家族経営農家から成る、多様性に富み、生産力の高い豊かな農業文化を誇っていた。だが七〇年代石油危機の際に増やしたドル建債務の金利が七〇年代末に四倍に引き上げられたときから、アルゼンチンの転落が始まる。

ちょうどその頃、アメリカの大手アグリビジネスは、急激に拡大する工業式農場の家畜用飼料としてＧＭ大豆を推進、大規模な生産地を早急に必要としていた。

債務超過に苦しむアルゼンチンは、格好のターゲットになった。IMFが緊急融資と引きかえに要求した国内民営化と規制緩和によって、農地が底値で競売にかけられていたからだ。

まずは多国籍企業と海外投資家がアルゼンチンの安い土地を買い占め、巨額のリターンをもたらす事業として、モンサント社のGM大豆栽培が選ばれた。九六年にアルゼンチン政府がGM大豆を認可すると、海外投資家とアグリビジネスによる、輸出用GM大豆の大量生産プロジェクトが始まった。

できるだけ短期間に元を取りたい投資家たちにとって、何より重要なのはスピードと効率だ。彼らはまず地元の大地主たちを取り込み、零細農家を追い出させ、放牧されていた牛の群れをコンクリートの工業式農場に詰めこむことで、GM大豆用の広大な土地を確保した。そしてインドでやったように、農薬の使用量低下と高収入をちらつかせて中小企業に近づき、巧妙に在来種からGM大豆に切り替えさせていった。

その結果、中小企業はインドの貧農と同じ運命をたどり、特許使用料と、通常の倍必要になった高い農薬代の支払いに押しつぶされてゆく。彼らが手放した土地を大地主たちが手に入れ、農地の寡占化が進んでいった。アメリカ国内のケースと同様、巨大化するほどに地域での支配力は強くなり、土地の買収も効率よく進むのだった。

こうして一九九六年に国内で一万ヘクタール以下だった大豆畑は、わずか四年で一〇〇〇倍の一〇〇〇万ヘクタールに拡大する。GM小麦やGM綿と違い、特殊な機械が人間の代わりをするためGM大豆には労働力がほとんどいらず、数十万人の農民が失業した。単一栽培による土壌劣化で農薬使用量が増加したため、周囲の伝統的農業は大きな被害を受けた。GM大豆とセットで売られるグリホサート除草剤は非常に強力なため、それに耐性を持つGM大豆以外の植物を全滅させてしまうのだ。

自国の農業が外国企業のための巨大輸出産業と化したとき、アメリカ国内やイラク、インドと同様に、アルゼンチンの農民もまた、主権を失い土地から切り離され、飢餓に苦しむことになった。

だがアルゼンチンのケースには、一つだけモンサント社と投資家たちを悩ませたものがある。政府が、知的財産権をめぐる特許使用料について、法的に認めなかったのだ。

だがモンサント社はあきらめなかった。同社はアルゼンチン政府にライセンス料を要求し、嫌ならGM種子の国内販売をやめることを宣言したのだ。痛いところを突かれたアルゼンチン政府は、仕方なくGM種子の知的財産権を承認、農民の肩には、高い特許使用料という重い荷物が新たに追加されたのだった。

被災地復興をGM種子で支援――ハイチ

ＧＭ市場を世界に拡げる数々のパターンのなかでアメリカ国民と国際世論を味方につけたハイチのケースは、最もスムーズに成功した例の一つだろう。

二〇一〇年一月一二日。

中南米のハイチを襲ったマグニチュード七・〇の地震は、三一万六〇〇〇人の死者を出し、地域一帯に壊滅的被害を与えた。

モンサント社の動きは素早かった。同社はすぐに駐ハイチ米国大使館の後援をとりつけ、被災したハイチの農民たちにＵＳＡＩＤを通して緊急支援物資提供を約束する。内容はトウモロコシを始めとするＧＭ種子四七五トンと肥料、ラウンドアップ除草剤の三点セットだ。

アメリカの民間シンクタンク「政策研究所(Institution for Policy Studies)」の研究員で、『ハイチ女性の反乱』の著者でもあるビバリー・ベルは、この災害支援はハイチ農民にとって「トロイの木馬」だったと指摘する。

「そもそもエマニュエル・プロフィート農務大臣が、ＵＳＡＩＤのＷＩＮＮＥＲプロジェクト（Watershed Initiative for National Natural Environmental Resources）から緊急支援物資を受け入れると決めたこと自体、ハイチでは国内法違反でした。ハイチの在来種にはない豆や野菜の種子を国内に持ち込むことは、農業と生物多様性を保護する法律に引っかかるからです。交配種の作付けには大量の水と質の良い土壌が必要で、雑種のトウモロコシ自体ハイチの土地には適していません。ハイチ政府の許可リストに、アメリカ製のGM種子は入ってもいなかった。そのことを追及された大臣はこう言いました。「ハイチは今地震による緊急事態下にあり、外部の種子が入国する際の検疫作業をできる状態にない」と」

「国連は何も言わなかったのですか」

「ハイチの市民団体がFAOにGM種子の入国を止めてくれるよう要請しましたが、FAOがハイチ政府に対してできることはあくまでも勧告で、強制はできないと言われたそうです」

アメリカ国内では、「地震で今季作付けする種子を失ったハイチ農民たちが、USAIDからの緊急支援物資で救済された」という美談が発表された。

「USAIDのハイチ緊急支援プログラムには、米国民の税金から四年間で一億四〇〇〇万ドル（約一四〇億円）の予算があてられていました。アメリカの国民は自分たちの税金が、不幸に見舞われたハイチ被災者の復興支援に役立っていると思い喜んだかも知れませんが、あのとき被災地で本当は何が起きていたかを知ったら、きっとショックを受けたでしょう」
ビバリーは正しい。ハイチの農民は作付け用の種子を、失ってなどいなかったからだ。

ハイチ農民の多くは、保存してあった自分たちの種子を使って作付けしたが、中には気軽な気持ちで、USAIDが配布するGM種子を植える者もいた。

「緊急支援物資」という善意のパッケージに包まれたGM種子は、多くのハイチ農民に警戒心より感謝の気持ちを起こさせた。USAIDは補助金を惜しまず、GM種子を使用した農民には、さらに翌年の種子もすべて無料で与えた。農民たちはみな、喜んでますますGM種子を使い続けた。

USAIDがハイチ農民に提供したGM種子には、アメリカ国内でEPA（環境保護庁）が使用を禁止しているチラムやマキシム、マンゼブといった農薬が塗布されていたが、それに対する説明書や防護服などは一切なかった。ビバリーはWINNERプロジェクトのスタッフに直接説明を求めたが、彼らはプロジェクトの内容については外部と一切話してはならないという契約書にサインさせられていたという。

「USAIDは、このGM種子が被災地と農民に対するアメリカ国民の善意だと繰り返し強調します。でももしそうならば、なぜこんなにプロジェクトの内容が秘密に包まれているんでしょう？　なぜ危険な薬剤がついたＧＭ種子について、ハイチ国民には何も知らされないんですか？　緊急支援プログラムの期限が切れたとき、農民たちは種子を買わされることになるでしょう。だってＷＩＮＮＥＲのホームページにはこう書いてあるんですよ。「このプロジェクトの目的は、新しい技術、新しい種子や肥料や農薬によってハイチ農家の生産性を向上させ、五年以内に収益を倍増させることだ」と」

このままハイチ農民が、自国政府とアメリカ大使館に後押しされるがままにＧＭ種子を使い続ければ、ハイチ国内の農地もやがて、ＧＭ種子に覆われてゆくだろう。

途上国をターゲットにしていたのはモンサント社だけではなかった。

ハイチのケースが「人道支援」を旗印にして行われたように、世界最大の穀物商社カーギルも同じことをしていると、ビバリーは指摘する。

「あちこちの途上国に通常より多く増産できるというＧＭ大豆種子と化学肥料、農薬の三点セットを提供しているんです。大豆栽培は水を大量に使いますが、理由が最貧国の開発支援であれば、カーギル社はスターターキットを出すだけですむのです。後は熱心な国際機関や海外ＮＧＯが、現地まで井戸掘りや農業のやり方を教えに行ってくれますから」

「彼らはＧＭ種子のことを知って教えているのでしょうか」

「知らないでしょうね。でも企業が国連やＵＳＡＩＤの開発支援プロジェクトとしてＧＭ種子を出せば、純粋な正義感に燃えた若者はそれが途上国の未来にとっていいことだと信じ、喜んで現地に向かってくれるのです。ＧＭ種子については、まだまだ世界でもよく知らない人のほうが多いですし、国連の名前はやはり信頼性がありますからね」

やがてＮＧＯが引き上げると、残された現地農民たちは、種子、肥料、農薬の三点セットの代金とＧＭ種子ライセンス料を、毎年カーギル社に支払うことになるという。

インドの例と同様にＧＭ大豆は増産され、農民たちは喜んだ。だがそれは最初の数年だけで、その後はＧＭ種子に合わせて進化し耐性をつけた害虫や雑草駆除に大量の農薬を使うことになる。ＧＭ大豆とセットで売られた農薬は、ヨーロッパなどの先進国では健康への懸念から、禁止されている種類のものだ。大豆の単一栽培による地下水の大量使用はやがて井戸を枯渇させ、途上国の農民たちは借金だけでなく水不足にも悩まされるようになった。

「ＧＭ種子や、それとセットで売られる毒性の強い農薬は、今後世界的に深刻な問題になるでしょう。本当に知られるべきことがこの数十年ずっと伏せられてきたのです。私たちはもっともっと知り、伝えなければなりません。世界各国で起きていることの共通性を。私たちの善意の気持ちが、弱いものたちを苦しめ、一握りの強者を潤わせることに利用されないように」

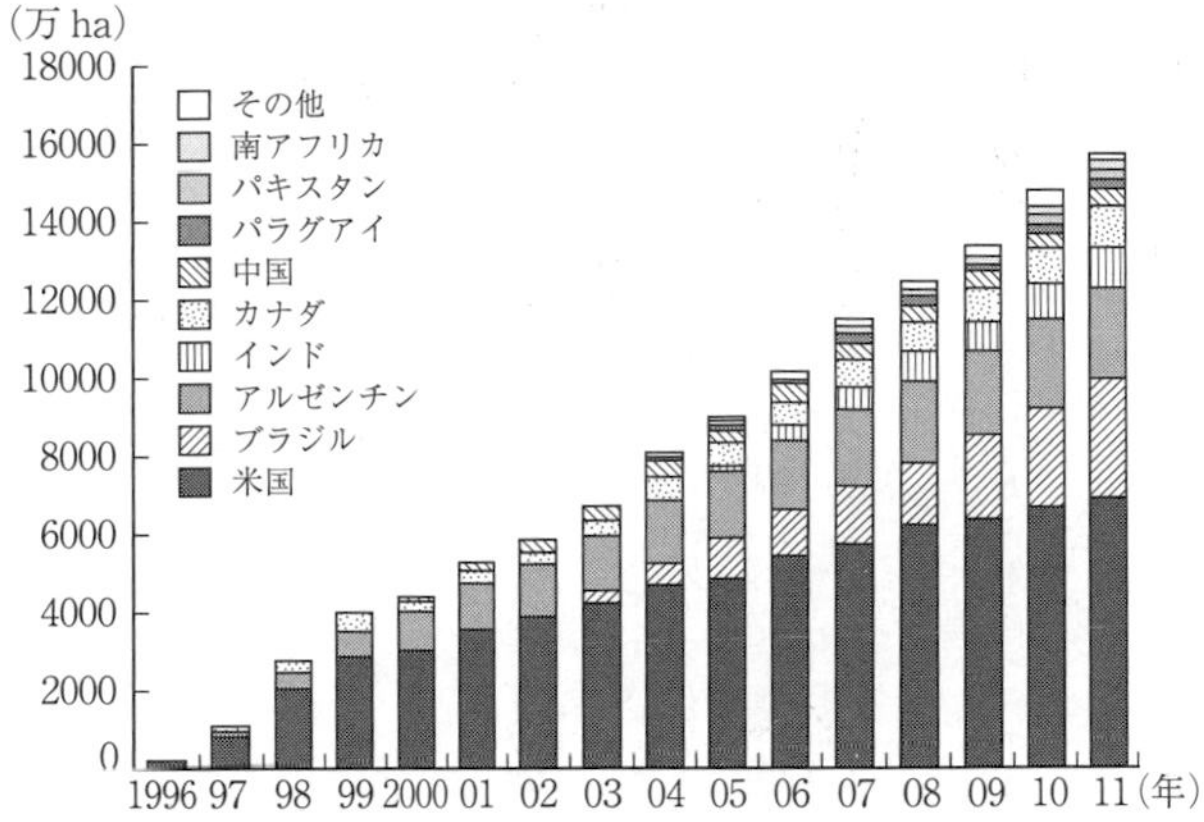

GM作物の国別栽培面積推移(国際アグリバイオ事業団データ)

アメリカは最強の外交武器を手に入れた

一九八〇年代の終わりになると、再生産しないGM種子が開発される。

「ターミネーター種子」だ。

ターミネーター遺伝子が組み込まれた種子は、発芽した時点で枯れてしまう。特許料の支払いから逃れようと農家がこっそり種子を保存しても、実ができないため翌年使うことはできなくなる。こうしてターミネーター種子を一度でも使用した農家は、自動的にモンサントとの依存関係にからめとられるしくみが誕生した。

世界におけるGM種子拡大も加速し続けている。初めて商品化されたGM種子一九九六年に一七〇万ヘクタールだった栽培面積は、二〇一二年には一億七〇〇〇万ヘクタールに達し、空前の一〇〇倍増を記録した。各国の農民たちは、毎年モンサントを筆頭に、世界四大多国籍アグリビジネスから種子を買うしか選択肢が与えられていない。トウモロコシや米、大豆、小麦といった、人類にとっての主要作物が、たった四社の手に握られているのだ。

「ターミネーター種子」の特許成立は、世界のパワーバランスを大きく揺さぶることになるだろう。種子が手に入らなくなればその国の自給率はゼロになるからだ。アグリビジネスと共にこの政策を進めてきたアメリカ政府もまた、世界最強の軍事力に並ぶ、外交交渉の強力な武器を手に入れた。

アールバッツ元農務長官は、外交における食の重要性をこう語っている。

「食料はアメリカが持つ外交上の強力な手段です。とりわけ、食料を自給できない国に対しては有効でしょう。脅威を与えたいときは、ただ穀物の輸出を止めるだけで良いのですから」

他国の食を支配するNAFTA・FTA・TPP

一九七〇年代の終わりから多くの政府高官や企業群が掲げた「食料は武器だ」というアメリカ政府の主張は、この間ずっとぶれることがなかった。食料供給の企業所有を国内で完成させた後は、諸外国に「民主主義」「強い農業」「財政再建」「人道支援」などを理由に介入、集約させせた広い農地で輸出用GM作物の大規模単一栽培を導入させ、現地の小規模農民を追い出した後は、株式会社アメリカが動かしてゆく。インドやイラク、アルゼンチン、ブラジル、オーストラリアなど、その勢いはとどまるところを知らなかった。モンサントを始め一握りのアメリカ系多国籍バイオ企業が、世界の種子の大半を手中に収めると、次は今までよりもさらに強力に、世界市場拡大の障害を取り除く必要がでてきた。

それを実施するための方法論の一つが、国家間の自由貿易条約だ。

自由貿易という発想そのものが、多国籍企業と法治国家の力関係を逆転させる性質を持っている。多国籍企業の目的は株主利益であって、それを生み出す地域やそこに住む人々に対しての責任はないからだ。そのため多くの場合、勝ち組は多国籍企業、労働者は負け組になる。

一九九三年にアメリカがカナダとメキシコとの間で結んだNAFTA(北米自由貿易協定)は、投資家と企業群を始めとする「1%」層にとってもう一つの成功例だろう。

NAFTAによってメキシコには、大量のGM種子が大波のように流れ込んだ。バイオ種子企業は、メキシコに古くからある原種トウモロコシや豆類を一部遺伝子操作してから商品化、新製品として特許を取得し、次々に独占していった。WTO(世界貿易機関)の定めるTRIP

S協定（知的財産所有権の貿易に関する協定）により、一度特許権を認められたら最後、その種子は特許を得た企業にしか販売できなくなる。これ以降メキシコ国民は、マジョコバ豆などの先祖代々受け継いだ作物を栽培するためには、GM企業に特許料を支払うか、毎年その種子を購入しなければならなくなった。短期間で合法的かつ効果的に結果を出したこの手法は、のちにイラクのCPAによるGM種子導入モデルにも使われることになる。

自由貿易による過度な自由化が脅かす最大のものは、その国の食料自給率だ。カナダの女性文化人類学者のエリザベス・フィティングは、NAFTAはメキシコを食料自給国家から飢餓国家へと転落させたと批判する。米国から大量に入ってきた政府補助金付きの安価なトウモロコシに国内農業が太刀打ちできず、三〇〇万人の零細農家が次々に廃業したからだ。それまでメキシコでは、小規模農家が各自トウモロコシを育てていたのが、NAFTA後には食全体の四割を輸入に頼らざるをえなくなってしまった。消費者価格を引き下げるメキシコ政府の補助金制度も、海外投資家にとって不平等な国内法だとしてすぐに廃止させられる。その結果国民は主食が買えなくなり、二〇〇〇年には史上初めての飢餓暴動が起こったのだった。

カナダでは自由化によって外資に開放された農業に企業が次々に参入、土地を買い上げた大規模農産業が、輸出用GM穀物の単一栽培を開始する。NAFTA後、カナダでは農業の生産量と輸出量が増えた。だがそれはアメリカ国内と同じように、利益のほとんどは株主の懐に入り、末端の生産者である契約労働者はNAFTA前よりも収入が激減するという構図だった。

二〇一二年三月に施行された米韓FTA(二国間自由貿易協定)は、施行後の手間を省くために、アメリカ政府が交渉開始の前段階で、「食」「GM作物」「製薬」というNAFTAで最重要視された三項目に関する事前条件を、韓国側にのませておいた。

(1)アメリカで科学的安全性が認められたGM食品は無条件で受け入れる
(2)韓国の国民皆保険が適用されない株式会社経営の病院の参入を認める
(3)アメリカ産牛肉の輸入条件を緩和する

安全審査の緩さから、世界各国が規制をかけているアメリカ産牛肉の輸出障壁を外すため、米韓FTAでは安全性に疑いを抱いた際は輸入国側に危険性の立証責任が課せられるようにした。BSE(牛海綿状脳症)検査実施率〇・一%、輸出前の危険部位除去の実施もなしという今までの体制を変えることなく、今後アメリカの牛肉は韓国市場に向けてスムーズに輸出されることだろう。米韓FTAは米国食肉協会を安心させた。科学的にその危険性を立証しない限り、韓国側から輸入拒否をするという選択肢はなくなったからだ。

GM作物に関しても、事前の安全性チェックは開発企業側が提出する自己申告データの書類審査のみとなり、表示義務も撤廃された。米韓FTAでは韓国側が、GM作物に関する規制を事実上放棄したも同然だった。

投資家の権利はFTAの中の、ISDと呼ばれる条項が保護してくれる。これはたとえば韓国に投資したアメリカの投資家や企業が、韓国の国内政策によって経済的に損害を被るかその恐れがある際に、世界銀行傘下の国際投資紛争仲裁センターに提訴できるという内容だ。世界銀行はアメリカ支配が最も強く、裁判は密室で行われ上訴は不可、そして判決の基準は公益ではなく、「投資家にとって不利益があったかどうか」になる。

アメリカの巨大食肉チェーンやアグリビジネス企業群にとって、もっとも大きい韓国市場は学校給食だ。韓国は地方自治体が地産地消の給食を提供しているが、これはISD条項が参入障壁としての国内法を取り払ってくれるので問題なく参入できるだろう。

米韓FTAでここまで不平等な内容を締結できた背景には、一九九七年のアジア危機の後でIMFの構造改革がしいてきた下地がある。韓国を管理下においたIMFは、財政再建の名のもとにマスコミにおける外資参入への門を開けておいた。そのため韓国にとって一方的に不利な米韓FTAの内容は、韓国国内マスコミを動かし、ぎりぎりまで国民にその危険性を伏せておくことができたのだ。

国内法を合法的に外す自由貿易条約は、多国籍企業や投資家にとって利便性が非常に高い。もっとも効率が悪いのは巨額の費用がかかる裁判だからだ。だからこそアメリカ国内で彼らは、政治やマスコミに働きかけることで地道に一つずつ法改正をさせ、最小リスクで最大の利益を上げられる環境を数十年かけて丹念に作ってきた。

その点国際法は、締結までに時間がかかっても、一度結んでしまえば広範囲で法改正が行えるという利点がある。

米韓FTA締結後、韓国国内ですさまじい勢いで進行した二極化拡大は、NAFTAのときと同じだった。投資家や多国籍企業、銀行などを含む上位「1%」の資産は上昇、それ以外の「99%」層は貧困に落ちてゆく。自由貿易条約とは、「1%」のための自由をさすのだ。

ヨーロッパの製薬企業も負けてはいない。

二〇〇七年六月から続いているEU・インド間のFTAについて、EUの経済界はインドへの協定調印への圧力を強めている。

EUのバイオテク企業は、インド国内で販売するGM種子価格の自由化を求めているが、インドの農民の多くは、すでにGM綿花によって借金漬けになっており、自殺者の数も増える一方だ。これ以上GM種子を高値で売られたら、国内農業は完全に壊滅してしまうと、インド国内の農業関係者たちは、口々に反対している。

また、十分な自給率を持つインドの酪農市場に生産過剰の安価なEU乳製品が関税なしで入ってくれば、NAFTAのトウモロコシと同じ悲劇が起きるだろう。低所得層の女性を中心とする九〇〇〇万人の生活を支える国内産業が、つぶされるからだ。

FTAに反対するインドの女性(Corporate Europe Observatory)

「知的財産権」が企業側にもたらす恩恵は食だけではない。ジェネリック薬生産大国のインドに対しEUの製薬会社が特許権を主張すれば、途上国に輸出される医薬品の供給にストップがかかるだろう。

バーラティ農民組合のヤドビル・シンは、こうした国際条約は国内産業をつぶし、一握りの外国企業と投資家だけを利する不平等条約だと批判する。

「政府はこのFTAによってインドが大きく経済成長し、多くの恩恵がもたらされると言いますが、私にはどうしてもメリットが見当たりません。いったい経済成長の恩恵を受けるのは、どこの誰なのでしょう?」

ニューデリー在住のジャーナリスト、コリン・トッドハンターも、FTA交渉に関するインド政府の姿勢について懐疑的見方をする一人だ。

「インド政府は国内の反対勢力に対し、「ジェネリック薬や酪農、種子や小売りは絶対に守る」と約束していますが、多くの国民は不信感を持っています。一握りの大富裕層によって動かされているインド政府は、一九九〇年代以降ずっと規制緩和と民営化に舵を切っている。「1%」側と利害がぴったり一致しているのです」

インドという国の主権のみならず、途上国の患者数百万人の生死まで左右するこのFTAもまた、今世界で同時進行している急流の一つなのだ。

EUのGM規制はまだ崩せる

企業の自由貿易活動を保護するためには、強制力のないWTO協定だけでは不十分だ。たとえばGM開発企業にとって、GM食品に対する輸入規制措置をずっと続けているEUは大きな障害になっていた。EUはこの件でWTOの国際裁判所に訴えられ敗訴したが、今後もまだほかの理由をつけて保留し続けるだろう。

二〇一三年二月にオバマ大統領が一般教書演説の中で発表した「EU・アメリカFTA」は、GM種子に関するEUとの間の輸入障壁を外すことも含め、さらにスピーディかつ広範囲に自由化を進めるための、新たな試みとして登場した。

二〇一三年六月に開始され、遅くとも二年以内の締結を目指すこの交渉は、アメリカ国内でTPPを強力に推進するUSTR(アメリカ通商代表部)や、欧州委員会およびEU内の多国籍企業・投資家たちに大きく注目されている。

GDPシェアでは世界の半分、二国間貿易高では世界の三分の一をも占める両国のFTA締結は、実現すれば史上最大の「単一自由貿易圏」を生み出すからだ。

内容はTPPと同様、投資、関税、非関税障壁、知的財産権、サービス、司法、環境・労働・健康分野における規制撤廃が含まれる。EU側からはアメリカの金融規制緩和が要求される一方で、アメリカ側からはGM種子を始めとするEUの厳しい食品安全基準や食品成分表示義務の撤廃を要求してゆくだろう。

一方、同条約に反対する国民の声も少なくない。ドイツ在住のエマ・バルテンは、同条約は、以前EUで否決されたACTA(偽造品の取引防止に関する協定)の焼き直しだと指摘する。

「ACTAは定義が広範囲すぎる「知的財産権保護条項」や、ネット規制、言論統制につながるリスクに危機感を感じた人々が猛烈に反対し、EU議会で否決されました。ところがその直後に出てきたCETA(EU・カナダ自由貿易協定)の中に、ACTAでつぶされたはずの

「知的財産権保護条項」がしっかり入れられていたのです。彼らは、あきらめるつもりはありません。EUがずっと守り続けてきた厳しい食品規制の撤廃や、GM種子の流入を虎視《こし》眈々《たんたん》とねらっているのです」

知的財産権強化が実施されれば、NAFTAの例と同じパターンで、EU国内にGM種子を入れてゆき、特許をたてにその割合を増やしていくことが可能になる。

だがACTA条項の導入はリーク文書によって暴露され、両国内では再び反対が拡大、CETAは最終段階で暗礁に乗り上げた。

EU・インドFTAに反対する子どもたち(doctorswithoutborders.org)

もたつくCETAを追い越すように、次に速度を増してきたのが、交渉中の一一か国に日本も参加を決めたTPP(環太平洋戦略的経済連携協定)だ。

TPPは、今世界中で同時進行で進んでいる、人、モノ、カネ、情報など、あらゆるものの国境を越えた流動化を目指す、グローバリゼーションの集大成になっている。

実施されればそれぞれの国が持つ規制や独自経済政策能力といった主権が制限され、投資家と多国籍企業は完全に法治国家を超えた強力な力を持つことになる。この場合の規制対象には、アメリカの主権も含まれる。TPPは一〇〇〇頁以上ある細かい専用の規定に、アメリカ各州の州法を合致させるよう強制するからだ。従わなかった州に制裁を課す権限は、アメリカ政府に与えられている。

消費者運動家で元大統領候補者の弁護士ラルフ・ネーダーは、この一連の動きをこう語る。

「企業群はあらゆる規制を撤廃し、いよいよ最終段階に向かっている。TPPが頓挫しても、またすぐ別の名前で繰り返し現れるだろう。その本質を知りたければ、過去三〇年の間にアメリカ国内で企業が政治を後押しして作りあげてきた、この異常なビジネスモデルを見ればいい」

第 4 章

切り売りされる公共サービス

「教育を売らないで！」
（オレゴンの公立高校，2013 年）

「ようこそ、全米一危険な町へ！」

二〇一二年一〇月。

メジャーリーグの試合で盛り上がるミシガン州デトロイト市のタイガース球場入り口では、

こんなチラシが配られていた。

「注意！　デトロイトには自己責任でお入りください」

・デトロイトは全米一暴力的な町です。

・デトロイトは全米一殺人件数の多い町です。

・デトロイト市警は人手不足です。

・人手不足のため一二時間シフトで働かされ……警官は疲労困憊しています。

・デトロイト市警の賃金は全米最低ですが、市はさらに一割カットしようとしています。

配布していたのは、現役のデトロイト市警官たちだ。

デトロイトは二〇〇〇年から二〇一〇年の一〇年間で、住民の四分の一が郊外や州外に逃げ出してしまった町だ。財政破綻による「歳出削減」で犯罪率が増えているにもかかわらず市は公共部門の切り捨てを実施、学校や消防署、警察などのサービスが次々に凍結されている。

こうした傾向はミシガン州だけでなく、全米の自治体で起きている。二〇一〇年七月にはやはり財政難に陥ったオレゴン州の自治体が維持費が続かずに刑務所を閉鎖、すでに警官が大量解雇された町中に刑期を終えていない囚人があふれだし、恐怖のあまり州外に逃げる住民が急増した。

「デトロイトは二年前の二〇一〇年末から、市の職員を大量に解雇し始めていました。そのときのリストラ人数は一〇〇〇人です」

デトロイト市入り口の看板.「デトロイトには自己責任でお入りください」

デトロイトから近隣のオハイオ州クリーブランドに両親と妻を連れて移住した、四一歳の元市職員ジャマール・ジョンソンはこう語る。

「もともと治安が悪い町でしたが、二〇〇〇年半ばからひどくなり、GM（ゼネラルモーターズ）社の破綻がとどめをさしたんです。公共サービスなんてないも同然になった。

毎日どこかで強盗が起きるので銃は常に持ち歩いていました。警察はあてになりません。強盗にあって911(日本でいう110番)に電話しても、警察が来るのは一日二日たってからですから」

ジャマールは運がよかった。オハイオ州クリーブランドに住む友人の紹介で今はタクシーの運転手をしていると言う。

「昔はアメリカでも有数の美しい町だったんですよ。父が今でもよく話してくれます」

ジャマールの言うとおり、かつてのデトロイトは美しく、輝いていた。

ビッグ3(GM、クライスラー、フォード)と呼ばれた自動車産業の中心地で、一九五〇年代にはアメリカンドリームの象徴だった町。

今、デトロイト中心部では人気のなくなった車関連工場や学校、映画館、オフィスビルなどが廃墟となって放置されている。約七万九〇〇〇軒の無人の家は雑草が生えるままに放置され、まるでジャングルのようだ。全盛期に一八五万人だった人口も、工場の海外移転やジャマールのように職や安全を求めて町を出てゆく住民が急増し、今は七一万人に減ってしまった。貧困率、凶悪犯罪発生率ともに全米一位となり、失業率は五〇%、そしてなぜか件数が急上昇している火災について、ジャマールはこう説明する。

「住宅ローンも払えず、仕事もなく家族を抱えてどうしようもなくなった人が、自宅に放火する事件が後を絶たないんです。保険金目当てにね」

二〇一二年五月にデトロイト市は八万八〇〇〇灯ある街灯を半分に減らす、通称「ゴーストタウン計画」を実施する。もともと半数は壊れたまま市が修理代すら出せず放置されていたが、点灯数を半減させることで住民の生活エリアを縮小させる目的だった。その結果、犯罪率はさらに上昇、住民の流出が加速した。

失業拡大と産業の流出が市の財政を圧迫し続け、デトロイト市は借金に借金を重ね、ついに長期債務が歳入の一〇倍の一四〇億ドル(約一兆四〇〇〇億円)にまで達した。

二〇一二年七月には人口三〇万人の都市、カリフォルニア州ストックトンがやはり巨額の債務を抱え財政破綻している。

全米の自治体の九割は、五年以内に破綻する

だがデトロイトやストックトンの例は、今のアメリカでは氷山の一角だ。

二〇一一年一月、共和党のリチャード・リオーダン元ロサンゼルス市長は、テレビ番組のインタビューでこう警告した。

ストックトンの入り口に掲げられた看板

破綻した自治体はゴーストタウン化する(カリフォルニア州ストックトン，2013年)

「このままでは全米の自治体の九割は五年以内に破綻する」

リオーダン元市長は、地方行政の最大の問題は、労働組合の力が強くなりすぎたことだと指摘する。公務員の福利厚生や労働条件のハードルが高すぎて、首長が財政問題にメスを入れられないというのだ。

だが本当にそれだけだろうか。

「たしかに多くの自治体では、州議会議員が労働組合と癒着し、労働条件と票をトレードしてきた歴史があります」

ジャマールは言う。

「ですがもう一つ大きな問題は、州が破綻する他の要因を、政府が積極的に後押ししていたことです。たとえばブッシュ政権が導入した〈落ちこぼれゼロ法(No Child Left Behind Act)〉によって各州や自治体、学校同士は教育予算をめぐってテストの点数を競うことになりました。

デトロイトのような低所得層の多い地域の教育を支えるのは公立学校ですが、国からの財政支援もなくいきなり平均点を上げろと言われても、限られた人数しかいない教師たちのやる気や工夫だけで、ノルマを達成するのは難しい。そもそもスタート時点から、競争条件が不平等なんですから」

教育に市場原理を持ち込んだ〈落ちこぼれゼロ法〉では、生徒たちの点数が上がらなければ国からの予算が出ないだけでなく、その責任が学校側と教師たちにかかる。貧困家庭の生徒を多く抱えるデトロイトの公立学校では平均点が上がらず、教師たちが次々に解雇され、学校は廃校になった。公立校がつぶれると、すぐにチャータースクール（Charter School＝営利学校）が建てられる。銀行家や企業が経営するチャータースクールは、七年で元が取れることから、投資家にとって魅力的な商品なのだ。ただし公的なインフラではなくあくまでも教育ビジネスなので、生徒にとって入学のハードルは高い。高い授業料を払えるだけの経済力と一定以上の学力が要求されるため、デトロイトでは教育難民となった子どもたちが路上にあふれ、失業した教師たちは州を出るか、食べていかれずにＳＮＡＰ（フードスタンプ）を申請することになった。

「教育の市場化は公教育を破壊して教育格差を作り出し、ミシガン州とデトロイトの財政負担をさらに拡大させました。恩恵を受けたのは教育ビジネスで利益を得た投資家と大企業、それにSNAP拡大で売り上げが伸びた大型スーパーとファーストフード・チェーン、SNAPカード手数料が入る大銀行だけですね」

自治体が財政赤字を抱えたとき、建て直しのやり方は一つではないはずだ。だが今アメリカ国内各地で緊急宣言が出るたびに、どこも同じ方向に向かって進み始めているのは偶然だろうか。

勤めていた公立高校が廃校になったというジャマールの妻レベッカは、今アメリカ中で公務員と公教育がターゲットになっていることを指摘する。

「二〇一二年にウィスコンシン州で、米国史上最大の公務員デモがありました。大統領選挙の前にはオバマ大統領の選挙区シカゴで、教師たちが集まって大規模な抗議運動をしています。教師たちは、財源を理由に政府が公教育を解体しようとしていることに、大きな危機感を抱いている。解体された教育はウォール街の投資家たちに、新しいビジネス・チャンスとして差し出されているからです」

教育ビジネスはこの一〇年もっとも花開いた新市場の一つだ。

「ハリケーン・カトリーナのあとのニューオーリンズもそうでしたね」

そう言うとレベッカはうなずいた。

「ええ、あのとき使われた大義名分が「財政赤字」ではなく「災害」だったというだけで、行われたことはまったく一緒です」

自然災害で水没したニューオーリンズで、被災地復興のキーワードは「強い町を作る」だった。政府は「もっと強い、国際社会で通用する人材を育てるための強い教育を」と呼びかけ、災害でめちゃくちゃになった被災地の公立高校を復興させる代わりに廃校にした。その跡地に建てられたのが、大量のチャータースクールだ。

「二〇一四年までにニューオーリンズの学校の七五％はチャータースクールになってしまう。災害を理由にしたショック・ドクトリンはニューオーリンズで成功したのです」

そして今度は「自治体破産」を理由に、デトロイトが次の市場に変えられてゆくのを、投資家たちは熱い期待とともに待っている。

「次々に町が破綻し、廃墟が広がるようなここミシガンですら、上位「１％」の層だけは順調に収益を上げている。今のアメリカは、貧困人口が過去最大であると同時に、企業の収益率も史上最高なのです」

たしかに、デトロイトを始めとするアメリカ自動車産業の衰退は、大恐慌以来最悪の失業率と犯罪発生率をもたらし、国内にまともに暮らせない貧困層を大量に生み出した。

だがそれは彼女が指摘するように、上位にいる一部の層にはまったく当てはまらないのだ。

増えるのは低賃金サービス業ばかり

二〇〇九年のビッグ3救済は、新規労働者の賃金半減や、八時間だった労働時間の上限撤廃、工場でのシフト体制をより過酷なものにする改革とひきかえだった。これによって自動車業界の財政は持ち直し、二〇一二年には収益が一一〇億ドルを超えて、役員たちは数百万ドルのボーナスを手にする。だが一方で労働者側の賃金は大きく下落、大量に生み出されたワーキングプア層がSNAP受給者となり、州の財政がさらに圧迫されたのだった。

元GM工場跡地．寒々しい光景が延々と続く(2013年)

「仕事はまったくないのですか」

「コールセンターのような、組合のない最低賃金の仕事枠に大勢が殺到している状態ですね。州知事は雇用が回復していると言っていますが、増えているのは労働条件が悪く、将来良くなる見込みもない低賃金サービス業ばかりです。これは全国的な傾向です。二〇〇九年六月に、政府は不景気が終わったようなことを発表していましたが、あれは上位一握りの人間にとっての、という意味でしょう。企業は国内雇用を海外に移して税金と人件費を削減し、その分減らされた労働者の所得が彼らの金融資産になったということです」

「全米でこうした状況が続いているのでしょうか」

「そうです。よくニュースで失業率が改善した、とやっていることがありますが、あれは実際には、企業が使い捨てしやすい底辺の仕事が増えたという意味なのです。教育や社会保障、医療費の自己負担は拡大しているのに、賃金は減っている。何とかコールセンターのような仕事にありつけたとしても、労働者はとても生活していかれません。けれど企業にとっては、景気も国内の経営条件もどんどん改善している。連邦政府と自治体政府が、より効率よく利益を上げられる環境を作る法改正を、次々に実行してくれるからです」

公教育を全面解体

二〇一一年六月二三日。ミシガン州議会が通過させた州法〈非常事態管理法〉に対し、反発した州民たちが集団で訴訟を起こした。元高校教師のマイク・アンダーソンも、この訴訟を支援する一人だった。

非常事態管理法は、財政難に苦しむ州の自治体に代わって、選挙ではなく州知事が任命した「危機管理人〈Emergency Manager〉」に財政健全化の指揮権を与える法律だ。管理人は債務を減らしバランスシートを調整する目的で、自治体の資産売却、労働組合との労使契約の無効化、公務員の解雇、公共サービスの民営化などを、一切の民意を問うことなく行使する権限を持つ。

「財政危機を理由に、公教育は真っ先にターゲットになりました」

財政が悪化していたミシガン州内には、二〇〇八年から州知事が任命した一二人の危機管理人がいたが、財政難に加えて全国一斉学力テストのスコアが低い公立校も、このとき一緒に「効率化」リストの上位に入れられている。

マイクの住むマスケゴン市は、ミシガン州内で公教育の全面解体を実施する、最初の市に選ばれた。

「たしかにマスケゴン市の公立校は経営不振でした。もともと低所得地域でしたが、企業がどんどん州外に出ることで、州の教育予算の財源である財産税の税収が激減し、さらに二〇〇二年春から国が実施している〈落ちこぼれゼロ法〉や、オバマ政権下で始まった「州対抗教育予算獲得レース〈Race to the Top〉」で打撃を受けていたのです」

「どんな打撃ですか」

「予算を巡る学力テストの点数競争で、点数ノルマにさらされた教師は過剰労働で心身を病み、点数が低い生徒には時間を割けなくなりました。むしろ成績の良い生徒だけを相手にして成績の悪い生徒を切り捨てないと平均点が下がってしまいます。ですが教育は製造業とは違います。国の教育予算を減らし、競争という市場原理導入だけで底上げしようというのは無理がある。結局このやり方では教育の質は落ちるので、学校は平均点は下がる、退学率は上がるという悪循環にのまれていったのです。そこにやってきたのが、あの危機管理人でした」

デトロイト市の廃校になった元公立校の落書き.「もう二度と宿題はない」(2013年)

二〇一二年六月。州の要請でマスケゴン市に来た危機管理人のドン・ウェザースプーンが、真っ先に手を付けたのは、非効率な経営で財政を圧迫する公立学校の解体だった。

四〇〇万ドルの赤字と一二〇〇万ドルの超過支出を抱える公立学校は、他の地域でも合併を嫌がられるだろう。財務表の内容を一つ一つ査定する手間すら時間の無駄だと判断したウェザースプーンは、一四〇〇人の生徒を抱える学校区全体を解体し、民営化してチャータースクールに変えることを決定した。

財政危機を理由にした公教育の解体は、ミシガン州内のあちこちですでに始まっていた。二〇一一年四月のデトロイトでは、危機管理人のロバート・ボブが、市内の教育を支えていた公立学校のキャサリン・ファーガソン・アカデミーの教員五四六六人を解雇、学校そのものを閉鎖している。この学校は低所得層の学生たちにとって、大切な受け皿の役割を果たしていた。閉鎖命令にショックを受けた大勢の生徒たちが連日座りこみで抗議したが、その生徒たちに協力した大人もろとも警察に抑え込まれた。

マスケゴンではさらに大胆な公教育一掃政策が実施されている。

教師と学校職員全員に「ピンクスリップ」と言われる解雇通知が送られ、新しいチャータースクール運営は、ニューヨークに本社を置くモザイカ・エデュケーション社が受注した。同社は落ちこぼれゼロ法の導入以降、教育ビジネスで急成長を遂げている多国籍企業だ。二〇〇三年からわずか四年で売り上げが六五〇〇万ドル(約六五億円)から一億二〇〇〇万ドル(約一二〇億円)へ倍増、全米一三州とワシントン州の合計七五か所でチャータースクールを経営し、カタールやシンガポールなど、世界中にチャータースクールを広げている。「グローバル市場に有益な人材育成」を掲げ、無駄を排除し市場原理を導入した効率的な学校経営は、ウェザースプーンが探していた条件にぴったりだった。

二〇一七年までの五年間、マスケゴン市の公教育予算は、すべてモザイカ・エデュケーショ

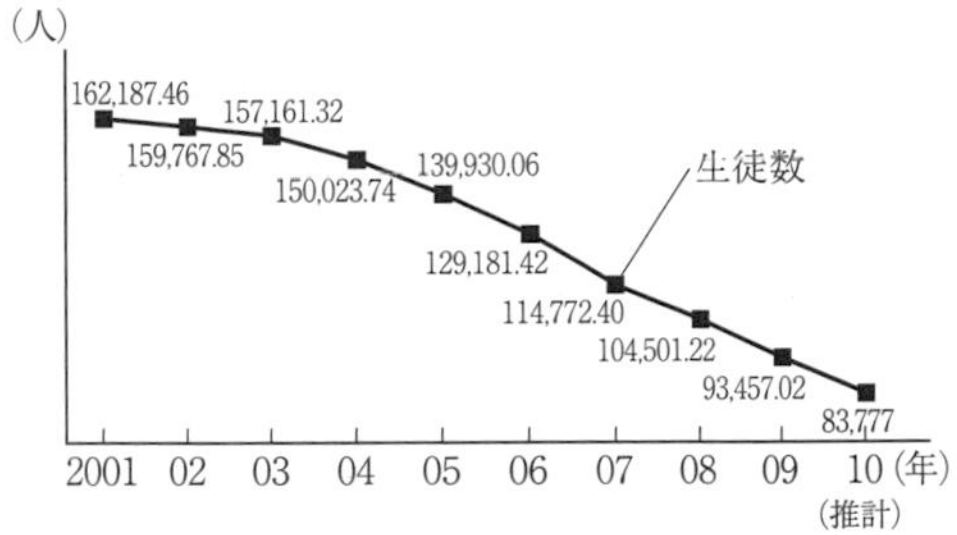

デトロイトの公立学校生徒数の推移
(Detroit Public Schools データ)

ン社に入ることになる。

教育ビジネス関連企業は、ここ一〇年の国の教育政策「予算削減」「競争導入」「規制緩和」「民営化」の四点セットの恩恵を受け、飛ぶ鳥を落とす勢いだ。ウォール街の投資家たちも教育関連株の明るい未来に、ますます熱い視線を注いでいる。

二〇一三年五月、スナイダー知事はデトロイト市を含む他六か所の市にも危機管理人を任命、合計七つの市がマスケゴンの後を追うことになった。今回受注したのはモザイカ・エデュケーション社とレオナ・グループの二社だ。

二〇〇九年以来、アメリカ国内では三〇万人の教師を含む約七〇万人の公共部門労働者が職を失い、学区では約四〇〇〇校の公立学校が閉鎖されている。

ニューヨーク、ワシントンDC、フィラデルフィア、シカゴなどの大都市では数百という公立学校が廃校にされチャーースクールに置きかわっているが、オバマ政権はさらにこの流れを強化する政策を次々に実行中だ。

ミシガン州内の教育関連市民団体「中西部エデュケーショントラスト」のディレクター、アンバー・アレラロは、こうした公教育の民営化政策に警鐘を鳴らす。

「ハリケーン・カトリーナ以来、政府の目的が「教育の市場化」にあることをこの国の教師たちはみな気づいています。

ニューオーリンズは教育版ショック・ドクトリンの例として有名ですが、ミシガンのような低所得地域も同じパターンでやられてしまいました。自治体から教育に関する主権を奪い、公教育を商品にすることは、短期で財政を改善させることはできても、長期的には深刻な弊害をもたらすでしょう。政治家と投資家、銀行は子どもたちの未来にとってもっとも大切なことを無視しているのです。教育にとって本当に大切なのは、この長期的影響の方だということを」

消防署、警察、公園が消えてゆく

二〇一一年に州知事に対する訴訟が起きた〈非常事態管理法〉は、自治体の他の分野ではどんな結果をもたらしただろうか。

ミシガン州ポンティアック市の元職員アイリーン・デイビスは、公民権を侵害するこの法律は、憲法違反だと批判する。

「地域住民が自分たちを統治する人間を選べず、行政の行うあらゆることに一切発言権も持てない。暴挙を行われてもリコールできない。地域内の土地やインフラ、公共サービスといったものを民間企業に売り払われても何も言えない。これは明らかな独裁、憲法違反です」

だが危機管理人自体は以前から存在している。なのに住民の反発が年々拡大しているのはなぜなのか。

「たとえば建設や教育などは、かつて非常事態管理法の適用外でした。ところがここ一〇年ほどで急に様相が変わり、危機管理人の権力範囲がなぜか純粋な財政分野から、一気に拡大しているのです。まるで自治体そのものをそっくり民営化するような勢いで、財政健全化と言いながら、ほとんど自治体機能そのものがスカスカにされている。危機管理人の条件は個人または法人ですが、大抵銀行や大手企業がバックについた顧問弁護士がやってきますね」

「どんな問題が起きているのでしょうか」

「ミシガン州にはすでに州知事に任命された合計一二人の危機管理人がいます。私の町ポンティアックもそうです。二〇〇九年から自治体議員も公務員も、肩書きはあれど、仕事はしていません。何の権限もないからです。町の運営はすべて危機管理人がしています」

ポンティアックはかつてＧＭ工場があった、デトロイト北にある工業地域の一つだ。

一二〇〇万ドルの債務に失業率が三〇％を超えた時点で、州が非常事態だとして危機管理人のルー・シュンメルを送りこんで以来、その状態が続いている。

「財政健全化はしっかり行わなければなりません。ミシガン州の自治体はどこも、もうこれ以上借りられない上限超えの借金をしているんですから。

けれど問題は、数字を元に戻すことだけを目的にした過激な財政緊縮のことなのです。数字を減らすという意味で非効率だと思われるものは、管理人であるシュンメルの独断でどんどん廃止されてしまう。

市の職員の大半は解雇または勤務日数を減らされ、動物園や美術館、公園、図書館などは廃止、清掃業者や上下水道は民営化、効率だけ追求して自治体行政をやるとこうなるという見本のような、すさまじいやり方でした」

だがアイリーンの批判とは裏腹に、シュンメルの手腕は他の自治体や銀行関係者から高く評価されている。

特に警察業務を外注し、年間二〇〇〇万ドル(約二億円)の歳出カットを実現したことは絶賛された。シュンメルは隣接するオークランド郡保安庁に、ポンティアック市内の警備業務を組み入れたのだ。

四年間で市の年間支出を五七〇〇万ドルから三六〇〇万ドルに減らすと、危機管理人は一五万ドル(約一五〇〇万円)の報酬を手にし、悠々と市を後にした。

だがアイリーンは、住民たちの間には将来への不安が広がっていると言う。

「たしかにシュンメルは自分の仕事を果たしたのでしょう。借金だらけだった市の財政を荒療治で修正したのですから。けれど短期だけ見てバランスシート上の数字を減らしても、長期ではどうでしょうか？　破格で叩き売りされた公共サービスは、今後企業が決定権を握るのです。値段を上げることも自由だし、採算が合わないと思えば企業はいつでも撤退できるんですよ」

「警察や消防署などはどうですか。ポンティアック市警だったときよりも、保安庁の対応は速いようですが」

「ええ、たしかに保安庁は速いです。電話すればすぐ来てくれますし。でも彼らはあくまでもオークランド郡の保安庁ですよ。もし両方で何か事件が起きたら？　もちろんポンティアックより郡の治安維持が優先されるでしょう」

シュンメルがコスト削減のために町の消防署を廃止すると言ったとき、消防士たちは署をあげて猛反対した。彼らのほとんどは地元出身で地域に愛着があり、自分の町を守ることに誇りを感じていたからだ。

だが危機管理人の判断基準はあくまでも目標数値を出せるかどうかに基づいていた。消防士たちの給料を半額にしたとしても、コスト削減目標の「三〇〇万ドル」の三分の一にも届かない。そして何といっても危機管理人には、地域社会のつながりや組合を超越する、絶対的な権力が付与されていた。

ポンティアック市の消防署は廃止され、消防士たちには早期退職金と、希望者にはミネソタ州ダコタ郡の消防署に新しい職場が用意された。

警官がいなくなった今、アイリーンは怖くて夕方以降外出できなくなったと言う。

「今では消防士は隣町から来るんです。ポンティアックにはもう自前の消防署も警察もありません。たとえ低賃金のサービス職が見つかったとしても、そんな町で誰が安心して子どもを育てられますか」

危機管理人の実績は、住民の安心ではなく、あくまでもバランスシートの数字で評価される。

銀行はこの結果に大喜びだった。

外からたくさんの民間企業が好条件で参入したことで、町全体に活気が戻ってきたからだ。ダウンタウンの商業地区ではガタガタだった道路が綺麗に舗装され、ゴミは片づけられ、街灯は再び点灯され、がら空きだったオフィスビルは徐々にテナントで埋まるようになった。

アイリーンが言うように、低所得層の住宅エリアは相変わらず空き家のまま放置され、学校の校舎の補修はされず、以前のような図書館や子どものための公共施設もなくなっていたが、これらは銀行にとっては大した問題ではなかった。

重要視されるべきは商業地域の活性化だ。これで地域の格付けが上がれば、非課税市債の価値が上がり、投資家たちも戻ってくるだろう。

破綻した自治体に対する銀行のやり方は、ちょうど債務超過国に対するIMF（国際通貨基金）のやり方と、実施する中身がよく似ている。どちらも相手の将来を見据えた根本からの立て直しではなく、公共部門を最安値で売却させ、短期間にできるだけ企業収益を上げ、最終的には融資分をきっちりと回収するのだ。

破綻したポンティアック市に貸し付けた分を少しでも多く取り戻すことに力を入れる銀行と、破産法申請だけは回避したい自治体にとって、危機管理人が出したバランスシートの結果は十分合格点だった。

雇用を戻す魔法の杖――〈労働権法〉

「スナイダー知事の英断を高く評価したい。ミシガンを離れた若者たちもこれで故郷に戻ってくるだろう」

二〇一二年一二月にミシガン州のリック・スナイダー知事が署名した〈労働権法〈Right to Work〉〉について、公共政策シンクタンク「マキニャックセンター（Mackinac Center）」の労働政策ディレクター、ビンセント・ベルヌッソはこう語る。

「ビッグ3の本拠地で、全米五番目の組合組織率を持つミシガンのような州で、知事はよく反対を押し切って決断したと思いますね。ミシガンは労働権州に仲間入りした二四番目の州です。これで雇用が戻ってきますよ。職を探して故郷を離れた若者たちが地元に帰ってきて、これからどんどん活気が出てくるでしょう」

労働権法とは、組合への加入と支払いの義務化を廃止する法律だ。

アメリカの労働組合は交渉代表制をとっており、三割以上の署名を得た組合代表選挙で過半数を得た労組のみが団体交渉権を取得する。労働協約が締結されて組合保障条項が適用された際は、組合員でなくても組合費を強制的に支払わせるしくみだ。労働権法が施行されればこの義務がなくなるので、組合費の強制徴収は今後できなくなる。

企業にとっては組合を組織しにくい地域の方が労働コストははるかに安くなり、作業環境も柔軟に変えられて効率よく経営できる。労働権を導入した州の方が雇用が増えてゆくのはこのためだ。

「住民の所得についてはどんな変化がありますか」

「たしかに労働権を入れていない州の方が、組合がある分、入れている州に比べ平均の名目所得は一〇％ほど高いです。ですがその分、失業率は改善していますから、労働権法を入れていない州に比べて消費が活性化しているのです。

仕事がなく物価が高い州と、多少収入は減っても消費によって経済に活気がある州ならば、若者は後者を選びます。どちらが住みやすいかは一目瞭然でしょう」

労働権法を導入した州では、たしかに雇用が増えている。組合の弱体化でビジネスがしやすくなり、企業が戻ってきたからだ。組合との労使交渉という障害が縮小したことで、企業はのびのびと株主利益を追求できるようになった。福利厚生や賃上げ、労働者のシフト体制など、今までのように組合の顔色を窺うことなく、人件費を抑え最大限生産効率があがるシステムを導入できる。

労働権法を入れた州ではたしかに失業率は下がっている。だがふたを開けてみると、数字を改善しているのは労働条件の悪い、低賃金雇用が圧倒的だ。

「ミシガンは組合が強く、生活水準が高いことで有名な地域でしたね」

「かつてはそうでしたが、結局組合が強くなり過ぎてGMの倒産を招きました。組合にはその反省がまったくない。彼らのなかではGM黄金時代のまま時が止まっているのです。せっかく今やっと自動車産業が再生しかけているのに、あのときと同じ感覚で組合が、やれ高い賃金だ年金だ医療だと要求し始めたら、あっと言う間に企業は逃げてしまいますよ。そのしわ寄せを受けるのは誰ですか？　労働者たちですよ」

「昔のようにそうした権利を労働者が望むのは、厳しい状況だと？」

「正直言って非現実的ですね。グローバル化が進み、企業は人件費と税金が安い州を選びますし、国内より海外が安ければそっちへ工場を移転する。企業と共に労働者側も時代の変化に

「労働権法は賃金を下げ，貧困率を上げる」と訴えるステッカー

合わせることで、お互いのニーズに合った最適な労働環境に調整できるのです」

「最適な労働環境とは、誰にとってのでしょうか」

「双方にとってですよ。時代の変化の波に乗り遅れた労働者はどうなりますか？　失業保険が切れた時点でホームレスですよ。いいですか、組合は気がついていないのです。今国中にある五〇〇〇か所を超えたホームレスのテント村、若者がいなくなり過疎化してゆく地方自治体。それを後押ししているのが、黄金時代の既得権益にしがみついている自分たちであることに」

労働権を導入した州では組合の組織力が弱体化し、企業誘致に有利になる。五年以内に九割が破綻すると言われるアメリカの各自治体もまた、グローバル化の「価格競争」にさらされ、コスト戦略を図る企業にとって「商品」の一つと化したのだ。

スナイダー知事が労働権法に署名する直前、ミシガン州内各地では大規模な抗議活動が起きていた。

その先頭に立った組合の一つが、全米一の組織力と資金力を持つ産業労働組合であるＵＡＷ（全米自動車労働組合）だ。彼らは、労働権法は労働者の当たり前の権利を奪う、憲法違反の悪法だとして猛烈に反発している。

だが労働権法推進派の主張には、組合の既得権を批判する声も少なくない。

UAWが公開している組合職員の年収を見ると、会長が一五万ドル(約一五〇〇万円)、広報スタッフが一〇万ドル(約一〇〇〇万円)、インターンで三万ドル(約三〇〇万円)と、たしかに中間層の給与レベルをはるかに超える金額だ。彼らの擁護する労働者が、今や時給一五ドル単位で働いている状況を見ると、急激に変わりゆくアメリカの労働市場がもたらすひずみがあちこちで噴き出していることは否めない。

ある意味、これはグローバル化した時代のなかで自然な流れなのだとビンセントは言う。変化を拒否する者たちは現実を見ていない。よって彼らが淘汰されてゆくのは自己責任だと。

だが本当にそうだろうか。

財政赤字に苦しむ自治体は、少しでも外から企業や投資家を呼び込もうと、誘致条件を有利にするためにさまざまな規制緩和を実行する。買い手である企業や投資家と、売り手である自治体の間に生まれる力関係において、自治体側に選択肢はないからだ。

労働者の権利や生活を守る組合の組織力を弱体化させ、法人税を下げ、環境規制を緩くする。そこに住む住民の健康や暮らし、環境といった公益を自治体が守れなくなれば、純粋に利益を最優先する企業によって、その地域が失うものは少なくないだろう。

ミシガン州の労働権法抗議デモに参加した一人で、地元の食料品店を経営するブラッド・マ

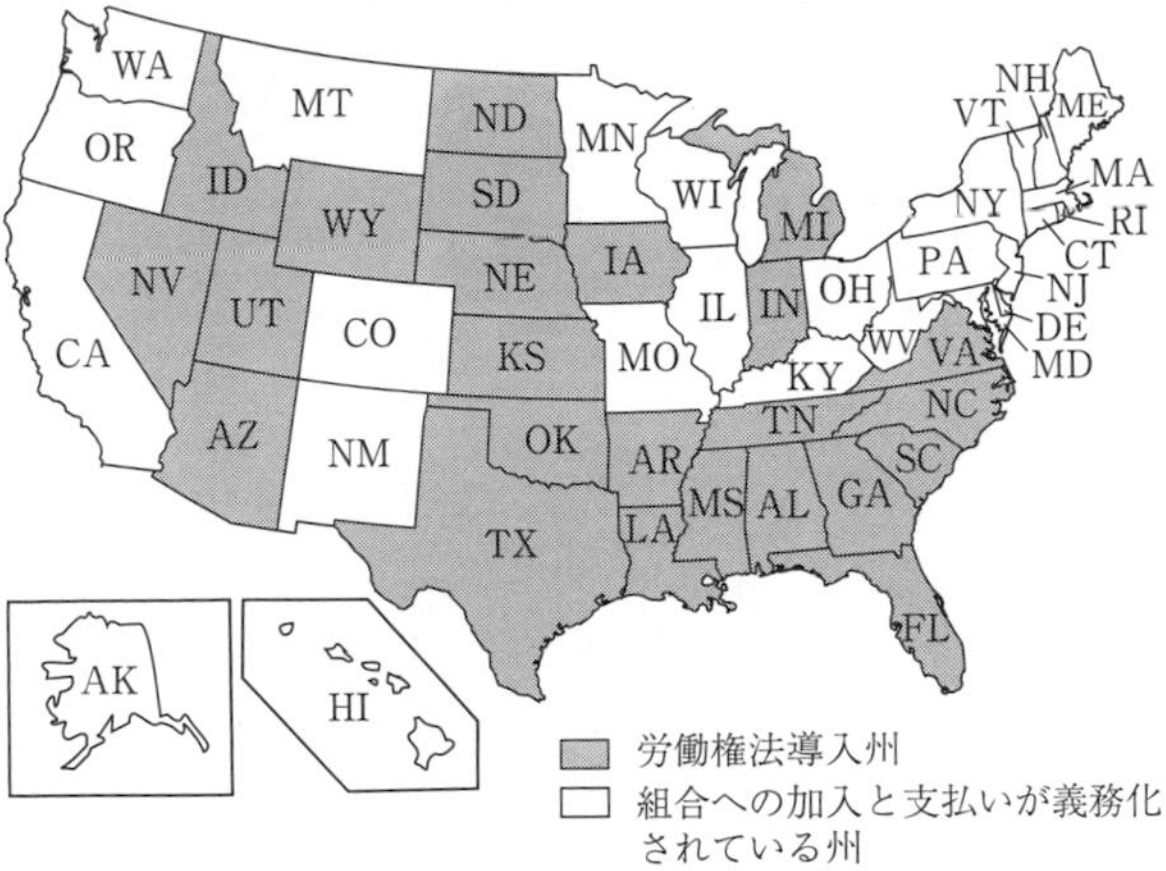

労働権法を導入している州(The National Right to Work committee データ)

クガバンは、労働権法は自治体を身売りさせる危険な法律だと指摘する。

「政治家たちは、赤字を抱えた自治体を立て直すには非効率な公共部門をカットして民間に任せ、経済を活性化する方法しかないという。だがこのやり方の問題は、一度始めてしまったら、壮絶な価格レースに参加させられて後戻りができなくなることだ。うちのような零細企業は大規模チェーンスーパーの安値に勝てないし、アグリビジネスや工業式農場がくれば、地域環境が破壊され、やがて土地が使い物にならなくなったら、企業はさっさと土地を捨てて別の場所へと去るだろう」

「安く使って、もう使えなくなったら捨てるということですか」

「そうだ。コストと生産性が最優先のものさしである企業には、地元の商店と違って、この土地に対する愛着心も、人間関係もない。子どもたちの育つ環境への思いや、受け継いでゆく伝統を守りたいという気持ちも持っていない」

だがそれらはみな共同体にとって、値段のつけられない価値を持つものだ。

「そう、苦しいからといって売っちまったら、決して取り返しがつかないものなんだよ。労働権法を入れたほかの州を見ればわかるだろう。一つの企業を誘致しようと争ったアラバマ州とインディアナ州で何が起きたか見てみるといい。誰にしわよせが行ったかを」

ブッシェ・エンタープライズ社の工場誘致をめぐり、アラバマ州とインディアナ州は、どちらもすでに導入していた労働権法以上の好条件を提供しようと、最低賃金引き下げや法人税の大幅減税といった法改正を次々に実施した。その結果、アラバマに軍配が上がり、新しい工場は多くの雇用を生み出したが、マクガバンの言うとおり、誘致と引き換えに差し出した労働条件や環境規制緩和の代償は、そこで働く労働者と州民が支払うことになるだろう。

食の世界と同じように、グローバル化における価格競争を激化させた最大の原因は、政府によって次々と実施された規制緩和政策と、それらを国境を越えて適用させた国際法の数々だ。

そして合法的な「株主至上主義」環境が法制化される背景には、それを望む経済界と金融界が政府と結びつく「コーポラティズム」の存在が見え隠れする。

こうした効率化によって市場が統一されてゆくほどに、国境や人種、文化や伝統などの多様性は抜け落ち、社会はフラットになってゆく。アメリカ国内で起きていることは、急速に世界で拡大する巨大な流れの縮図なのだ。

デトロイトが非常事態宣言

二〇一三年三月一日。

ミシガン州のリック・スナイダー知事は、デトロイト市に財政非常事態宣言を発令した。自動車メーカーのビッグ3は、リーマンショック以来の低迷から勢いを取り戻しつつあったが、州の財政回復は追いつかないという理由からだ。

破綻すれば全米の自治体のなかでは最大規模になるデトロイトの非常事態宣言は、この展開を待っていたウォール街の投資家たちを興奮させた。イギリスの「フィナンシャル・タイムズ」紙はいちはやく記事としてとりあげ、スナイダー知事の決定を賞賛した。

スナイダー知事は今回の「危機管理人」に、ビッグ3の破綻時にクライスラーの債務整理を担当した、ワシントンの剛腕弁護士、ケビン・オアを指名した。

オアは破綻した企業の財政再建を専門とし、自らの能力に絶大な自信を持っていた。「危機管理人がやってくる」ことに反発する住民や市の職員が大勢抗議デモを行ったが、長年この業界で鍛え上げたオアには、痛くもかゆくもなかった。

オアは猛烈に反対の声を上げるデモ参加者たちに向かって微笑むと、こう言った。

「よければ私と裁判所でやりあいますか？　後悔することになるでしょうが」

元ベンチャー・キャピタリストで「1％」の富裕層であるリック・スナイダー州知事は記者会見の席で、神妙な顔つきを見せながらこう言った。

「まあさびしい気もしますが、デトロイトの未来のためには思い切った行政改革しかないでしょう。こういうのは誰かが嫌われ役を引き受けなければならんのです」

だがデトロイトの未来と聞いて喜んだのは、住民よりも同市の非課税市債を持つヘッジファンド・マネージャーたちだろう。

二〇〇八年の金融危機での損失をオバマ政権下の公的資金注入で十分に取り返した彼らは、市債を紙くずにしないことに加え、新しい投資の機会を探していた。

歴史のなか、数々の国が証明してきたように、借金でつぶれかけている自治体や国がさらに財政削減をすれば、公共部門が形骸化し、土台から崩れてくる。だが「財政危機」をあおり

「立て直し」をスローガンにすることで、公共部門売却が一気に可能になることは、ミシガン州を始めとするアメリカ国内の例を見れば一目瞭然だ。こうした一連の公共事業解体による民営化政策は、大企業の株価上昇に貢献し、二〇〇九年にはアメリカの不景気は終わったという報道さえされている。

だが政策を実施する側の人間に、はたして「ポスト財政破綻」の近未来は見えているだろうか。

労働者の権利や年金、福祉、医療、教育、公衆衛生といった、労働者が得るささやかな権利の全面的切り捨ては、何よりもそこに住む人々の生活そのものをやせ細らせてしまう。

連邦、州、地方自治体レベルの大規模な予算削減を実行し、公共部門の解体に力を入れてきたオバマ政権下では、二〇〇九年以降、教師三〇万人と公務員四〇万人が職を失い、公立学校四〇〇〇校が閉鎖されている。

この間、マスコミはせっせと二大政党に対立軸があるかのような報道を流し、国民の関心がテロや銃規制、同性愛婚の可否などに向いているすきに、オバマ政権と共和党議会はタッグを組んで新たな予算削減に着手した。幼稚園から高校までの教育支援予算、子どもの栄養管理予算、ホームレス支援プログラムや長期失業者用失業給付など、合わせて一兆二〇〇〇億ドル

（約一二〇兆円）の連邦予算削減が実施されたのだ。

オバマ大統領による社会保障削減に反発する民主党支持者でさえ、ぶつぶつ文句を言いながらも、最後にはこうした政策を受け入れた。「財政危機による国家破綻」という、政府・マスコミが繰り返しあおる「危機」は、それほどまでに強力かつ効果的な大義名分として、ショック・ドクトリンの下地をしいた。

デトロイトでも、アメリカでも、世界中でも同じ言葉が繰り返される。

株式市場が急騰し、大企業が空前の利益をあげるなか、社会のなかで最低限必要な生活必需品を保証する予算はないのだ。

多くの国民はまだ気がついていなかった。二〇一四年に施行をひかえた〈オバマ・ケア（Affordable Care Act）〉によって、すでにさらなる雇用と、多くの労働者の生活、公共部門までもがじわじわと失われ始めていることに。

「オバマ大統領の執念の法律」と絶賛されたこの法案が、メディケアやメディケイド、何千万人もの退職労働者や低所得層が頼りにしている社会保障をさらに深くのみ込んでゆく、株式会社貧困大国アメリカの、次なる章であることに。

民営化された夢の町

危機管理人が、低所得層の住民や組合、公務員の反発を買いながらも銀行からは称賛されるように、この手法は過度に二極化した今のアメリカでは、その対象によって受け取り方が百八十度変わってくる。

二〇〇五年八月、ハリケーン・カトリーナによって大きな水害に見舞われたジョージア州では、水没した地域住民のほとんどがアフリカ系アメリカ人の低所得層だったことから、アトランタ近郊に住む富裕層の不満が拡大していた。

共和党の彼らは、「小さな政府」を信奉している層だ。

なぜ自分たちの税金が、貧しい人たちの公共サービスに吸い取られなければいけないのか？ハリケーンで壊滅状態の被災地を、わざわざ莫大な予算をかけて復興させても、住民の多くは結局公共施設なしでは自活できないではないか。政府の介入の仕方はまるで社会主義だ。私たちはいったい、今後も延々と行政支援を必要とする人々のために、どれだけ貴重な税金を投じなければならないのか？

どうしても納得いかない彼らはこの件について住民投票を行い、やっとベストな解決策を打ち出した。

郡を離れ、自分たちだけの自治体を好きなように作って独立すればいいのだ。

彼らは自治体の運営に関しては素人だったが、富裕層には心配せずとも大手企業がちゃんと近づいてきてくれる。大手建設会社CH2Mヒル社が、二七〇〇万ドルで市の運営を請け負うオファーを持ちかけ、すぐに両者の間に契約が成立した。

正規職員は極力おさえ、残りは契約社員を雇い、通常自治体予算を大規模にとる人件費をできるだけおさえた運営にする。もちろん組合など存在しない。

この動きは数か月という短い時間の中で、目立たず、だが速やかに進められていった。全米の国民とマスコミの関心は、ハリケーン・カトリーナと被災地に集まっていたからだ。

かくして二〇〇五年一二月。人口一〇万人、全米初の「完全民間経営自治体サンディ・スプリングス」が誕生する。

政府ではなく民間企業が運営する自治体。

PPP(Public Private Partner)と呼ばれるこの新しい手法は、アトランタ周辺の富裕層の間で爆発的な人気を呼んだ。

雇われ市長一人、議員七人、市職員七人。余分な税金を低所得層の福祉その他に取られずに、最も効率よく自分たちのためだけに使えるのだ。

政治家と癒着した公務員や、権利ばかり主張する〝いまいましい組合〟もない。ＧＭを倒産にまで追い込んだ莫大な公務員年金や、低所得者用の医療制度であるメディケイドの州負担からも逃れられる。固定資産税も、これからは自分たちのための財源だ。

警察と消防以外のサービスはすべて民間に委託し、払った費用に見合った適切なサービスを受けられる。市には無休のホットラインがあり、何かあれば二四時間いつでも対応可能。政府統治機能を株式会社に委託するというサンディ・スプリングスの誕生は、小さな政府を望む富裕層の住民と大企業にとって、まさに待ち望んでいたことの実現だった。

通常、公共サービスを民営化すると、選択肢は横ではなく縦に伸び、住民の経済格差が、受けられるサービスの内容に差をつける。

だがサンディ・スプリングスではその心配は不要だった。何しろ住民はみな一世帯当たりの平均年収一七万ドル（約一七〇〇万円）以上の富裕層と、税金対策で本社をおく大企業なのだ。

雇用が減るなどと文句を言ったり、組合を望む住民もいなかった。サンディ・スプリングスの住民のほとんどは、州外で収入を得ていたからだ。

周辺地区ではサンディ・スプリングスに憧れる富裕層が同じように住民投票を実施し、次々に自治体運営を企業に委託、新しく五市が後に続き、独立特区を形成していった。

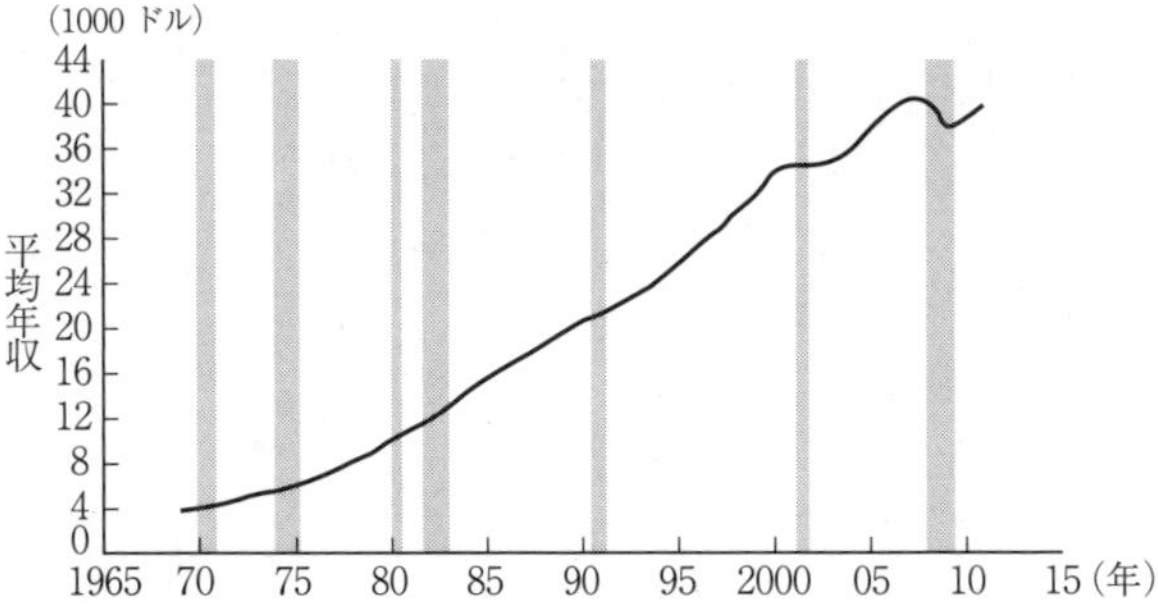

サンディ・スプリングス住民の1人当たり平均年収推移
(アメリカ商務省データ)
＊影の部分はアメリカが不景気に陥っていた時期を示す

外部の者が簡単に入れないよう警備も充実しており、住民には安心かつ快適な暮らしが約束されている。失業率上昇と警官の解雇で毎日のように近隣地域で犯罪が起こる環境にいた住民たちは、やっと安心してのびのびと生活できるようになったのだ。

独立特区の誕生に誰よりもショックを受けたのは、周辺地域の政治家と住民だった。次々と成立する株式会社経営の自治体に対し、彼らの間からは強烈な反対運動が起きた。

郡のなかで富裕層だけ勝手に独立されて、いちばん困るのは彼らだからだ。いったい富裕層の税収なしに、どうやって同地域に住む低所得層のための公立学校や公立病院、公共交通、福祉行政などを維持してゆけばいいのだろう。

過疎化が進む地域はどんどん取り残されてゆき、自治体の再配分機能は働かなくなってしまう。

政治家たちが頭を抱える一方で、サンディ・スプリングスが象徴するこの新しい民間経営自治体への関心はとどまるところを知らないようだ。噂は世界中に広まり、中国やサウジアラビア、インド、ウクライナなどからも視察団が訪れるほど人気が高まっている。

サンディ・スプリングスが象徴するものは、株主至上主義が拡大する市場社会における、商品化した自治体の姿に他ならない。そこで重視されるのは効率とコストパフォーマンスによる質の高いサービスだ。そこにはもはや「公共」という概念は、存在しない。

第5章
「政治とマスコミも買ってしまえ」

「自由の国」から「㈱貧困大国アメリカ」へ
(Courtesy of Adbusters Media, Vancouver)

企業が立法府を買う

「アメリカという国を好きなようにしたければ、働きかけるべきは大統領でも上下院でもない。最短の道は、州議会だ」

『ネイション』誌のワシントン特派員で、メディア改革推進団体「フリープレス」創始者のジョン・ニコラスは断言する。

五〇州からなる合衆国は、それぞれの州に独自の法律と自治権が与えられている。日本のように大きな財源と権限を持つ中央政府とは違い、アメリカの連邦政府は外交や軍といった業務を中心にした、究極の地域主権だ。

憲法も、共通のアメリカ合衆国憲法と、各州で適用される独自の州憲法の二つがある。州は州法の制定と施行、課税権を担い、教育や労働、環境や暮らし、公衆衛生に医療福祉など、州民の日常生活に最も影響する分野での、強い権限と責任を手にしている。

「つまり」とニコラスは言う。

「州を制する者は、国民生活の隅々まで及ぶ影響力を手にできるということです」

アメリカ政府が八〇年代から舵を切った「株主至上主義」は、レーガン政権以降積極的に推進されてきた。前述した「食と農業」の垂直統合と巨大産業化を後押しした規制緩和政策の背景にあったのは、企業による強力なロビー活動や献金、政府・企業間で勢いよく回される回転ドアなどの存在だ。

連邦レベルで次々と企業寄り政策が実行される一方で、州レベルで進められていたもう一つの企業戦略については、ほとんどの国民がその実態を知らされてこなかった。三〇年以上も毎年着々と進められ、確実にそれぞれの州を企業寄りの環境に作り変えてきたこの集団の存在は、ある殺人事件をきっかけに、人々の興味をひくことになる。

二〇一二年二月二六日。

フロリダ州で、黒人の少年が白人居住区の監視員に射殺された事件だ。

犯人のジョージ・ジマーマンは、買い物帰りだった一七歳のトレイボーン・マーティン少年の後をつけ、もみあった末の正当防衛だったと主張。だが殺されたマーティン少年は両手にジュースと菓子しか持っていなかった。地元当局がジマーマンを逮捕しなかったことに加え、白人が黒人を殺すというこの事件は人種差別問題に発展し、国民の怒りを呼んだ。ツイッターやフェイスブックが情報を瞬く間に拡散してゆく。地元の教会で始まった大規模な抗議運動は、ニューヨーク市を始め州外にまで飛び火し、あっと言う間に全米に広がった。

そもそも丸腰の少年を銃で撃ち殺した犯人を、警察はなぜ立件できないのか。抗議の矛先は、二〇〇五年にフロリダ州議会を通過した、ある法律に向けられた。

〈正当防衛法(Stand Your Ground Law)〉と呼ばれるその州法は、身の危険を感じたら、公共の場でも殺傷力のある武器使用が認められるというものだ。場所が自宅や車内であれば傷害致死でも逮捕はされず、正当防衛かどうかの立証責任も被害者側のみに義務づけられる。この法律が成立したとき、ジェブ・ブッシュ知事はこう言った。

「これであなたの家の庭に強盗が入ってきても、あなた自身と家族の安全を守れます」

だがこの事件をきっかけに、この法律に対する疑問の声が広がってゆく。この法律が導入されて以来、フロリダ州内の銃による殺人件数は減るどころか三倍に跳ね上がっているのだ。

「この法律の成立に尽力したのはNRA(全米ライフル協会)でした」

トレイボーン・マーティン殺害事件の解明を求める一人であり、人種差別廃止団体「Color of Change」の会長でもあるラシャード・ロビンソンは語る。

「彼らは常に銃の売り上げを伸ばすためのロビー活動をしています。絶大な資金力と政治への大きな影響力を持つNRAは、この法律を成立させるために強力に働きかけました。ブッシュ知事が同法に署名した日、新聞記事の写真には知事の横でにっこり微笑むＮＲＡのマリオン・ハマー会長が写っていたのを覚えています」

だがロビンソンはそこでふと疑問に思った。

なぜまったく同じ内容の法律が、フロリダ以外にも三二州で導入されているのだろう？

今まで他の州の立法過程にそこまで関心を持ったことがなかったロビンソンは、その背景を知ってショックを受けたという。

「驚きました。浮かび上がってきたのは、米国立法交流評議会（American Legislative Exchange Council＝ＡＬＥＣ）の存在だったのです」

正当防衛法に署名するフロリダ州のジェブ・ブッシュ知事とその左後ろに立つマリオン・ハマー NRA 会長（bloomberg.com）

強大な力で州法を動かすＡＬＥＣ

ＡＬＥＣは、州議会に提出される前段階の法案草稿を、議員が民間企業や基金などと一緒に検討するための評議会だ。一九七五年に保守派の議員たちの手で設立され、小さな政府と自由市場主義を政策の柱としている。方向性を共にするロナルド・レーガン元大統領はＡＬＥＣについて、「官民の連携から生まれた知恵が、多くの国内問題を解決し、より良い環境を作ることに貢献するだろう」と評価した。

ＡＬＥＣには現在全米五〇州の州議会議員の三分の一にあたる二〇〇〇人、八五人の下院議員と、一四人の元州知事、それに三〇〇人の企業や基金などの民間代表が所属している。彼らの大半は共和党員だ。

評議会は毎年数日間にわたり開催され、ここで会員たちは各分野の政策について話し合いと採決を行う。

「アメリカ国民はＡＬＥＣに対し、漠然としたイメージ以上のものは持っていません。ほとんどの人はその存在すら知らないでしょう。私たちのような政治監視団体の間でも、長いこと話題にも上らなかった。ＡＬＥＣは選挙で選ばれた議員たちが、民間から専門的な助言を受け、あくまでも州民の立場に立った政策作りをするところだと思われていたのです」

ＡＬＥＣは企業ロビイストでも政治団体でもなく、ＮＰＯ（特定非営利団体）として登録されている。

だがその実態は、通常のロビイストや政治団体よりはるかに強大な力を持つ、非常に洗練されたシステムだった。

「ALECは「フォーチュン500」の上位一〇〇企業の半数がメンバーになっています。政策草案をつくっていたのは、誰もがよく知っている、多国籍企業の面々でした」

会員や寄付者の顔触れにはエネルギー・コングロマリットの所有者で大富豪のコーク兄弟(チャールズ・コークとデイビッド・コーク)を筆頭に、石油のエクソンモービル社、世界的小売業であるウォルマート社に、巨大製薬会社のファイザー社、石炭のピーボディー・エナジー社など、世界各地に市場を持つ有名企業がずらりと並んでいるという。企業の国籍はアメリカ系だけにとどまらず、大手石油会社であるBP社や、日本の武田薬品工業、イギリスの大手製薬会社であるグラクソ・スミスクライン社など多岐にわたり、さらに各業界団体も含まれている。

毎年開催される評議会は豪華なホテルで行われ、所属議員たちのホテル代や食費などの滞在費はすべてALEC持ちだ。

運営費の内訳は議員の年会費が一〇〇ドル(約一万円)なのに対し企業年会費は八〇〇〇ドル(約八〇万円)から二万五〇〇〇ドル(約二五〇万円)、これに寄付金を加えた合計となる。アメリカ国税庁の記録によると、二〇〇八年から二〇一一年までの三年間にALECが会員から集めた寄付金の総額は、企業と民間基金その他からの合計が二一六一万五四六五ドル(約二一億六〇〇〇万円）なのに対し、州議会関係者から集めた額は二五万ドル（約二五〇〇万円）と、わずか一％程度だ。だが企業にとっては割のいい投資になる。ＡＬＥＣの会費はＮＰＯの税控除扱いになるうえに、自分たちの企業利益を拡大する法改正が実現すれば、投資した分を十分上回る見返りがあるからだ。

評議会で出される法案は、どれも企業にとって望ましい内容になっている。税金、公衆衛生、労働者の権利、移民法、民間刑務所、刑事訴訟法、銃規制、医療と医薬品、環境とエネルギー、福祉、教育などテーマは多岐にわたり、それぞれ業界ごとに後押しするしくみだ。

「ここでは議員と企業群がそれぞれ別々の部屋で法案を検討し、採決をとるのです。ただし企業側には拒否権があり、基本的に議員はそのまま受け入れ、それぞれの州に持ち帰りますね。そして今度はそれを、自分の法案としてそのまま州議会に提出するのです」

「法案の採決は議員だけでなく、企業にも平等に投票権があるのですか」

「企業は投票権を買うのです。通常の会費とは別費用になりますが」

投票権は企業にとって決して高い買い物ではない。たとえば前述したＮＲＡ草稿の〈正当防衛法〉は、マリオン・ハマーＮＲＡ会長がこの評議会で提案し、モデル法案を持ち帰った州議会議員たちによって、その後三二州で法律として可決している。

評議会に報道陣は入れないため、今まで国民はずっと何が起きているのか知らされなかったのだとロビンソンは言う。

だがその実態は、ある一人の勇気ある会員によって、明るみに出ることになる。

二〇一一年七月。ウィスコンシン州マディソンに本部を持つNPO「メディアと民主主義センター」のディレクター、リサ・グレイブは、匿名のALEC会員から電話を受けた。電話の向こうの主は、ALECに関する内部文書に興味はあるかと言う。元司法省勤務で弁護士のリサは、二つ返事で承諾した。送られてきた文書を開いてみると、それらはALECで作成された八〇〇本以上のモデル法案だった。

企業のためのモデル法案

「ショックでした」

リサは、センターのスタッフと共に送られてきた文書を検証したときのことをこう語る。

「それはすべて、全米各地で州法として導入されている法律の原案でした。実際の条文と比較すると、文章がほとんど同じなのです。なかには一言一句同じものが使われている法律もありました。それはつまり、ALECで承認されたモデル法案を、州議会議員たちが自分の法案として議会に提出しているということです」

リサが以前から疑問を抱いていた法律もたくさん出てきた。たとえば傷害致死事故における企業の過失責任を免責する法律や、有権者の投票行動を著しく制限する法律、組合の団体交渉権を剝奪する法律、大規模農業の規制緩和や、工場の二酸化炭素排出規制廃止、刑務所民営化、教育のバウチャー制度など、どれもＡＬＥＣが承認し、その後法制化に進んだものばかりだ。

「州議会ではこうした企業の関与は問題にならないのですか」

「企業の関与が知られることはありません。モデル法案が議会に提出される前に、起草者に関する情報はすべて文書から削除されるからです」

「企業以外の団体はどの程度かかわっているのでしょうか」

「ＡＬＥＣのエリントン議長は、ＡＬＥＣはすべての納税者の代弁者だと言っています。けれど実際は大企業が仕切っている。労働者や学生、教育者などは入っていないのです」

エリントン議長はテレビ番組のインタビューで、こうした法案に企業が関与することについてこう答えた。

「法改正によって、最も影響を受けるのは企業ですから」

たしかに法改正は、そこで事業を営む企業の収益と株主配当へ大きく影響を与える。そして

ALECは、二つの面で非常に効率がいい戦略なのだ。

一つは、立法の権限を持つ議員に自分たちの要望を伝えるロビー活動よりも、議員自身に直接ロビイストの役を果たしてもらう方が話が早い。二つ目は、連邦レベルの法律における議会採決のチャンスは一度きりだが、導入場所が五〇か所ある州法なら勝率ははるかに高くなる。ALECのモデル法案はどの州にも適用できる形で作られているからだ。

「信じられません。州民の代弁者であるはずの州議会議員が、閉じられたドアの向こうで企業の望む法案を作成していたなんて。何よりもショックだったのは、こうした民主主義を根底から揺るがすようなことが、国民の知らないところで秘密裏に、三〇年以上も続けられていたことです」

リサはこの内部文書をもとに、ALECについてのサイト「ALEC EXPOSED」を立ち上げ、モデル法案の中身や所属する議員、企業、スポンサーなどを次々に公開した。大手マスコミは沈黙を続けているが、独立メディアや労働組合、フロリダ射殺事件の司法対応に抗議を続ける人種差別反対団体などのあいだで、反響はじわじわと拡大し始めているという。

全米に広がれば、確実に企業イメージに傷がつくだろう。国民の間に反発が広がりだしたのを見てすぐリスクマネージメントを実施する企業も出てきた。コカ・コーラ、マクドナルド、クラフトフーズ、ジョンソン＆ジョンソン、Ｐ＆Ｇなどの大企業やビル＆メリンダ・ゲイツ財団などは、その後すぐにＡＬＥＣの会員更新を止めている。

「問題は個々の企業ではなく、合法的に立法府を支配するＡＬＥＣの存在そのものなのです。企業はいつでもまた会員になれますし、協議会のスポンサーになることもできる。国民がサイトの更新情報を定期的にチェックしてくれればいいんですが、大手マスコミが扱わないので、人々の関心は長く続かないでしょう。企業もそれをよく分かっているのです」

大手マスコミのスポンサーとＡＬＥＣの出資者は同じ側にいる。そしてアメリカで世論を形成する最大の装置は、ネットではなくテレビなのだ。

「これは子どものためではなく、教育ビジネスのための法案だ」

二〇一二年三月六日。

ウィスコンシン選出で民主党のマーク・ポーカン下院議員は、自らが会員になり実態を把握したＡＬＥＣの内情を州議会の議場で暴露した。

議会という公の場でＡＬＥＣについて批判したのは、マークが初めてだ。以前からこの団体の存在に疑問を持っていた彼は、ＡＬＥＣの会員となってルイジアナ州ニューオーリンズで開催された評議会に参加した。

会場についたマークは、まず渡されたパンフレットにずらりと印刷されたパートナー企業リストを見て驚愕する。「フォーチュン500」の上位に出る名前を筆頭に、シェブロン、エクソンモービル、シェル、BPなどの石油会社を始め、大手医療保険会社のユナイテッド・ヘルスケアや、製薬企業とバイオテクノロジー企業業界団体のファーマ、日本の武田薬品工業、ドイツのバイエル薬品、クレジットカード大手のVISA、通信大手のAT&T、ウォルマート創業者のウォルトンファミリー基金、その他何十社もの有名企業名がずらりと並んでいたという。パートナー企業は法案の草稿にかかわることができ、それをプレゼンする場が与えられ、採決では議員と同等の一票を投じることができるのだ。ALECが作成する年間約一〇〇〇本のモデル法案のうち毎年二〇〇本が実際に法制化されると聞いて、マークは仰天した。

そこではいくつかの州で通過した法律の説明と協議が行われ、ちょうど、州が民間教育ビジネスにも適用可能な障害児用特別奨学金枠を設定するモデル法案(Scholarship for Special needs Act)が話し合われていた。

配付されたモデル法案文書を手にウィスコンシンに戻ったマークは、衝撃の体験をすることになる。その後議会に出された新しい法案が、ALECから配付されたモデル法案の内容に瓜二つだったのだ。ウィスコンシン州議会でこの法案を推していた二六人は、ＡＬＥＣ会員だった。

「この法案はぱっと見ると、純粋に子どもたちのために作られた内容に見えます。けれどこれが作られた背景を踏まえてもう一度よく内容を読んでみてください。そこには別の意図が浮かび上がってくるのです」

そのモデル法案はアメリカ児童連盟(American Federation for Children＝ＡＦＣ)によって作成されていた。ＡＦＣは教育の民営化、バウチャー制度、教育ビジネスへの公的予算支出などを推進する団体だ。教育の民営化はＡＬＥＣ評議会が取り上げる八大テーマのうちの一つであり、チャータースクール(営利学校)創設に力を入れるウォルトンファミリー基金やビル＆メリンダ・ゲイツ財団、オンライン教育のコネクションズ・アカデミー社などの企業会員が後押ししている。

ウィスコンシン州議会に出された法案の条文には「学校の選択制」「親に選択の自由を」というＡＬＥＣの教育部門で頻繁に使われる二つのスローガンがそのまま記載されていた。成立すれば子ども一人につき一万三五〇〇ドルが、国から支給されるが、これを民間のチャータースクールにも使えるように、親には学校を選ぶ選択肢が与えられている。

マークはモデル法案文書を見せながら、議場にいる全員に向かってこう訴えた。

「いいですか、これは子どもたちのためではなく、教育ビジネスのための法案だ。企業による、企業利益のための法改正なんです」

結局この法案は、ウィスコンシンでは下院を通過、上院で否決された。

だがＡＬＥＣのモデル法案は、一つの州が駄目でも放射状に複数の州で提出されることが最大の強みだ。同法案は、オハイオ、ノースカロライナ、オクラホマ、ルイジアナ、テネシーの各州で成立している。テネシーでは〈バーチャル公立学校法〉もあわせて導入され、ＡＬＥＣ会員として法案草稿に着手した、オンライン教育専門企業二社が州政府予算を獲得した。

マークは八月に参加した評議会の印象について、「企業と政治家の出会い系パーティ」のようだったと語る。

「人気のない独身者（企業）が、自分の望みをかなえてくれる素敵なパートナー（州議会議員）を求めて集まるんです。もちろん高額な入会費やいろいろと出費はかかりますが、豪華なホテルでおいしい食事を共にし、数日かけてお互い共通の関心事について、ワイン片手にゆっくり語り合うチャンスを持てる。その間に誰もが皆、ぴったりの相手を見つけられるってわけです」

「移民排斥法」で花開く刑務所産業

ＡＬＥＣは過去数十年間、アメリカ国内のあらゆる分野を、企業がビジネスをしやすい環境にする取り組みを続けてきた。九〇年代から急速に花開いた刑務所産業もその一つだろう。世界最大の収容率を維持するアメリカの囚人人口は一九七〇年から二〇一〇年までの四〇年で七七二％増加、今や六〇〇万人を超えている。実体経済が荒廃してゆくなか、この産業の確実な成長は、ＡＬＥＣのたゆまぬ努力のたまものだった。

民間刑務所ビジネスの代表は、全米最大の更正企業である「コレクションズ・コーポレイション・オブ・アメリカ（ＣＣＡ）」とＧＥＯグループの二社だ。彼らはＡＬＥＣ企業会員として熱心に活動を続け、一九九三年にテキサスの会員レイ・アレック下院議員に、刑務所労働への企業参入を許可する〈テキサス刑務所産業法（Texas Prison Industries act）〉を提出させ、法制化に成功する。このＡＬＥＣモデル法案はその後全米各州で次々に成立、ついに九五年には、刑務所産業の規制当局をアメリカ司法省から民間矯正産業協会へ移すことも実現させた。

これをきっかけに、それまで国内か第三国の労働者だった企業雇用は、事実上無規制となった最低時給一七セントの囚人労働者へと流れ始める。

ＡＬＥＣによって生み出されたこの新しいビジネスチャンスは、今では一〇万人を超える巨大市場に成長した。

民間企業だけではもったいない。

道路建設などの公共事業も、無給で労働法が適用されない囚人を使えば、州の財政上多大なコスト削減になるではないか。

そう言って真っ先に公共事業への民間刑務所産業参入の道を開いたのは、ウィスコンシン州のスコット・ウォーカー知事だ。別名ＡＬＥＣ模範会員のウォーカーは、アフターフォローも忘れなかった。十分な刑務所労働者確保につながる〈薬物取締法厳罰化〉と〈服役延長法案〉を、あわせて通過させたのだ。こうした動きは刑産複合業界のＡＬＥＣ企業会員を非常に満足させ、ウォーカーはその見返りに、巨額の献金を受け取っている。

刑務所産業は契約している民間企業のブランド・イメージに配慮して、マスコミ対策には特に細心の注意を払う。そのためほとんどの国民は、国内で減り続ける雇用がいったいどこに消えたのか、その背景を知る由もなかった。

ウォール街の投資家たちも、このビジネスチャンスを見逃さなかった。

民間刑務所産業から生まれた「刑務所ＲＥＩＴ（不動産投資信託）」は瞬く間に人気商品の一

つとなり、今も全米に拡大中だ。二〇〇〇年には、フロリダ州が〈刑務所産業投資信託法（Prison Industries Trust Fund Act）〉を成立させ、この新しいマーケットをさらに潤わせている。

二〇〇一年九月一一日の同時多発テロ以来、アメリカ政府は治安維持という名目で外国人に対する規制と厳罰化を進めていた。ＡＬＥＣに深くかかわっていたブッシュ政権下の閣僚たちも、無駄のない動きでしっかりと足並みを揃えている。

二〇〇六年八月。移民税関捜査局（Immigration and Customs Enforcement＝ＩＣＥ）は、移民法を改正し、不法移民は全員、法廷出頭日まで拘留が義務づけられることになった。これによって拘置所産業であるＣＣＡ社は、一気に市場を拡大する。同社から移民局と国土安全保障省へ費やしたロビー活動費三五〇万ドル（約三億五〇〇〇万円）の見返りとしては、十分満足のいくものだろう。

民間刑務所の現状調査と情報公開のサイト「The Business of Detention Reports」のデータによると、二〇〇二年から二〇〇七年の五年間だけで、ＣＣＡ社の株価は驚異的スピードで五倍以上上昇、二〇一三年現在も成長を続けているという。

二〇一〇年、アリゾナ州はＡＬＥＣモデル法案の一つであった〈移民排斥法（ＳＢ１０７０）〉

を可決する。同法案の草稿には、前述したＣＣＡ社、アメリカ保釈連合(American Bail Coalition＝ＡＢＣ)とその傘下の保釈金投資信託業界、逃亡犯捕獲サービス業界、そしてＮＲＡが手を入れ、これらの業界利益に大きく貢献する内容がしっかりと記載された。

(１)移民に対する合法的滞在証明書の携帯義務化

(２)不法移民の求職および就労の違法化

(３)不法滞在の疑いがある移民は令状なしに逮捕可能

ＩＣＥは移民収容業務の公から民への委譲を推進、現在収容者の一七％を請負業者に委託している。自治体は被収容者を地元施設に収容すると連邦政府から費用が支払われるため、収容人数の増加には積極的だ。

この法律はその後二〇一二年に最高裁で違憲判決が出されたものの、逮捕要件の緩和が刑産複合体にもたらした市場拡大効果は、その後はねあがった株価にしっかりと反映されていた。

銀行は市場拡大のための融資をおしまず、投資家たちは大きなリターンが見込まれる刑務所産業の金融商品に積極的に資金を投じてゆく。

食と農産複合体が垂直統合で寡占化していった過程と同様に、ここでもまた、湯水のような資金の流れが、市場拡大を後押ししていた。

刑務所産業は、市場拡大を望む企業側と、コスト削減をしたい自治体議員の利害がぴったりと一致する業界だ。法人と議員、それぞれのＡＬＥＣ会員が首尾よく連携し、この産業をさらに拡大させるモデル法案を次々に作成している。刑の重さに関係なく三回目で自動的に終身刑になる〈スリーストライク法〉や、刑期の八五％を終えるまで仮釈放させない〈真の刑期法(Truth in Sentence Act)〉、学校側があらかじめ規律と懲戒規定を明示して、それに違反した生徒を例外なく処分する〈ゼロ・トレランス法〉、などは、どれもＡＬＥＣ会員の多い州で成立し、刑務所人口と企業利益拡大に大きく貢献した法律だ。

過去二〇年で合計一一二本ものモデル法案を書いたＡＢＣが取り組んでいるのは、仮釈放システムの民営化だ。アメリカでは飲酒運転などで捕まると即留置所に入れられる。留置所を出るために必要な何千ドルという保釈金は一般人には用意できないため、それを立て替えて利子で稼ぐのが保釈債(Bail Bond)ビジネスだ。

州によって差はあるが、通常、この保釈金は自治体が容疑者の支払い能力を考慮して設定する。ＡＢＣが進めているのは、これをシステムごとに完全に民営化することで、保釈債立替業者がより効率よく利益を出せるようにするモデル法案だ。

連邦や州が厳罰化を進め、公共事業の工事にただ同然の刑務所労働者を使うことで、ますます多くの工場が閉鎖され、組合労働者の失業が加速する。州にとっても企業にとってもすばらしいプランだった。

規制緩和が事業拡大に貢献する一方で、市場にとって成長を阻む最大の障害は政府による介入、規制強化の法改正だろう。

ＣＣＡ社の二〇一〇年の報告書では、量刑を緩和するあらゆる法律に対し、企業利益を阻害するリスク要因として次のような警告が呼びかけられている。

我が社の施設やサービスへの需要は、仮釈放基準と量刑執行の寛容化、あるいは現刑法における特定活動の非犯罪化によって、利益を損なう可能性がある。たとえば麻薬や薬物、不法移民に対する罰則緩和は、刑務所や矯正施設の収容人数を減らしてしまうだろう。

非暴力犯罪に対する最小刑罰をさらに緩め、被拘置者が、模範的行動によって早期に釈放されるような法案にも要注意だ。犯罪者を投獄する代わりに、電子化されたチップを着用させることで保護観察に置くという法案も審議中だが、こうした司法の寛大さと量刑削減は、我がビジネスモデルを著しく脅かす内容に他ならない。

繁栄中のビジネスを後退させないためにも、企業にとってＡＬＥＣの重要性は、年々高まっている。

ついに企業の政治献金が無制限に

二〇一〇年一月。

アメリカの政治体系を、根底から揺るがす出来事が起きた。

保守派主導の最高裁が五対四で出した「企業による選挙広告費の制限は言論の自由に反する」という違憲判決で、企業献金の上限が事実上撤廃されたのだ。

この判決は、企業も有権者と同等に政治に意向を伝える権利があるという意味で「市民連合判決(Citizens United)」と呼ばれている。

これによって利益団体は、候補者か対立候補を落とす広告費の名目で、無制限に政治献金ができるようになった。

テキサス州フォートワース在住の調査ジャーナリスト、アレン・クリフトンは、この判決は、八〇年代から年々ぼやけてきていた二大政党の対立軸を、完全に消してしまうだろうと言う。

「アメリカ国民にとっての選択肢は、大金持ちに買われた小さい政府か、大金持ちに買われた大きい政府か、という二者択一になりました」

この判決にはもう一つ、アメリカの政治を大きく変える要素があった。米国籍でない外国企業でも、ＰＡＣという民間政治活動委員会を通すことで、匿名で献金できるようになったのだ。これで世界中どこからでも、米国の政策に影響を与えられるようになる。

「この判決はアメリカの歴史を、本当に深刻な形で変えてしまいました。アメリカの政治は、もう国民だけのものではなくなってしまうかも知れない」

アレンの懸念は、その後すぐに現実になった。

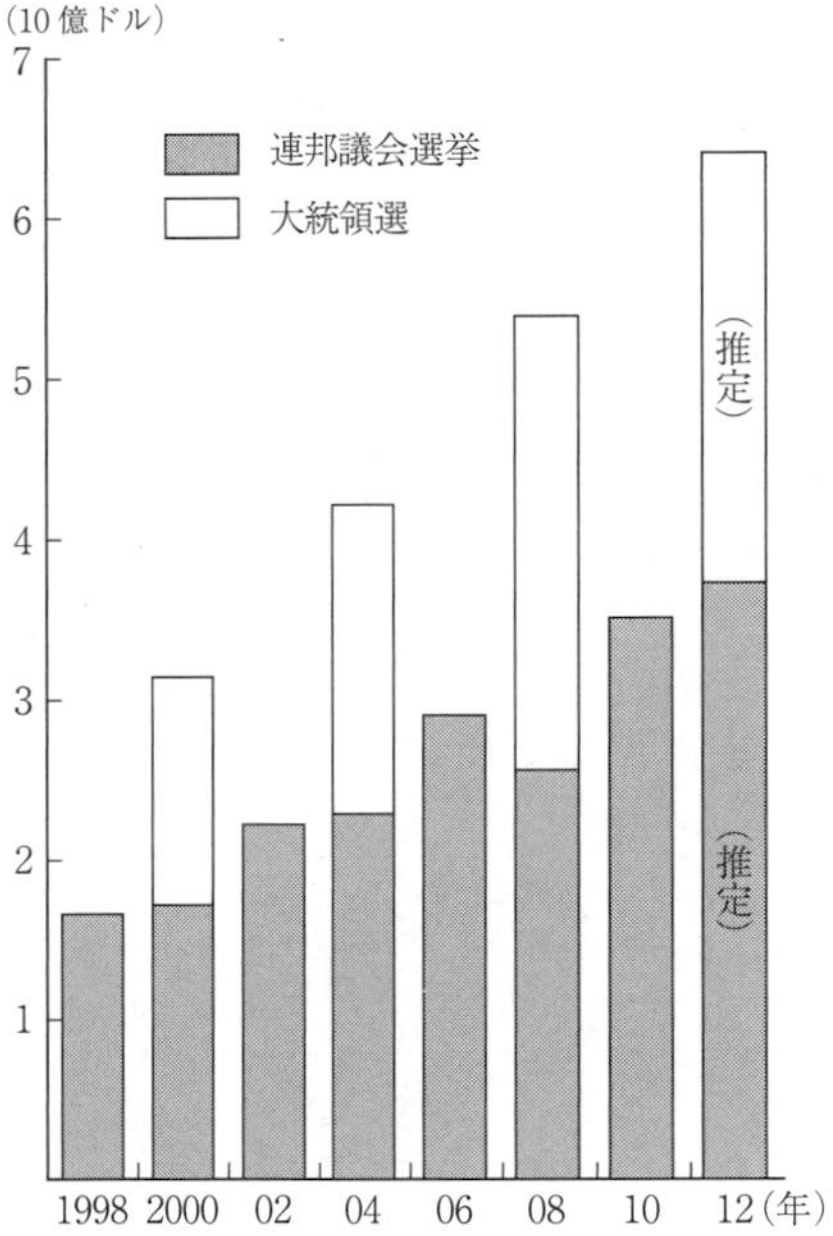

アメリカの選挙総費用の推移(1998–2012年)(OpenSecrets.org)

世界中の富裕層がアメリカの政策に介入できる

この判決を歓迎した業界の一つが、アメリカ石油協会(American Petroleum Institute＝ＡＰＩ)だ。同協会は、二〇一〇年五月に下院で成立し、七月に審議打ち切りになった〈温室ガス排出量を規制するアメリカエネルギー法案(American Clean Energy and Security Act of 2009：ＨＲ２４５４)〉の廃案に向けて七三〇万ドル(約七億三〇〇〇万円)のロビイング費用を投じている最中だった。

「ワシントン・ポスト」紙のデータによると、ＡＰＩの年会費は二〇〇〇万ドル(約二〇億円)、最大出資者は、サウジアラビア政府が所有する石油会社アラムコ(Aramco)傘下のサウジ精製会社(Saudi Refining Inc.)アメリカ支社長のトフィグ・アル・ガブサニだった。ＡＰＩの会員企業四〇〇社は、わずか三社の代表役員に仕切られている。エクソンモービル社と、コノコフィリップス社のＣＥＯ、そしてガブサニだ。それまでアメリカの連邦法は外国企業や外国籍を持つ者の政治献金を禁じていたが匿名寄付を可能にした市民連合判決のおかげで、サウジアラビア政府の業界ロビイストであるガブサニも、企業名を出さずに好きなだけ献金できるようになった。

その結果、オバマ政権の公約だったグリーン・ニューディールに沿った環境規制法案の数々は、共和党議員の八割を占めるAPI支援議員の反対票によって次々につぶされてゆく。その後アラムコ社はテキサスのアーサー港に新しい精油工場を建設し、サウジアラビアから輸入させた石油とアメリカ国内の石油精製事業で大きな収益を上げたのだった。

石油だけでなく、さまざまな分野で企業の政治影響力を一気に拡大したのが、各業界の「貿易連合(Trade Association)」だ。市民連合判決後、製薬業界の貿易連合の政治献金は二〇〇八年の二〇万ドル(約二〇〇〇万円)から二〇一〇年には一気に一〇〇〇万ドル(約一〇億円)に跳ね上がる。不動産業界も、二〇〇八年と比べて二〇一〇年の政治献金は一一〇万ドルの増額だ。

市民連合判決はアラムコ社に限らず、外資系企業にアメリカ政府の政策に強大な影響力を行使する門を開いた。APIのような協議会はいくつもあり、デュポン社やダウ・ケミカル社などのアメリカ系企業から、サウジ政府所有の世界最大化学薬品企業SABIC社、ベルギーの化学メーカーであるソルベー社、日本のダイキン工業など、世界中の大企業を代表して、多くの協議会がアメリカ政府の政策に影響を与えている。

選挙とは、効率の良い投資である

市民連合判決後、大量の政治献金が堰を切ったようにじゃぶじゃぶと政界へ流れ込み始めた。

二〇一〇年の中間選挙で投入された総額は八〇三八万八九五四ドル（約八〇億三九〇〇万円）。共和党への提供額は四四五四万八六二三ドル、民主党へは三五八四万〇三三一ドル。二〇一二年の大統領選挙および上下院選挙では、総額六〇億ドル（約六〇〇〇億円）というアメリカ史上最高記録を更新している。

市民連合判決に反対するプラカード(thepoliticalcarnival.net)

一方、インディアナ州共和党委員会の委員で、この判決の旗振り役として活躍した弁護士のジェームス・ポップは、市民連合判決は正当であり、今のアメリカにとって必要な措置だと主張する。

「今までの政府規制の方が異常だったのです。年間二万五〇〇〇ドルぽっちで政党が動いてくれますか？　それに政治が企業に支配されると言いますが、最終的な選択肢はまだ有権者にあるのです。自分と考えが違う企業が献金する候補者がいたら、その逆側の候補者を支援すればいい。アメリカの有権者の大半は、副大統領の名前すら知りません。多くの州民は自分のところの州議会議員の顔すら分からないでしょう」

大富豪だけが有利になるのではないかという不安の声にも、ポップは根拠がないと言う。

「まったく的外れな妄想ですね。大富豪には共和党員も民主党員もいる、むしろ民主党員の方が数は多いのです。この国の政治史を見てごらんなさい。歴代の候補者のうち、大富豪からの献金額が多いのはどちらか？　民主党候補ですよ」

かつて政治投資理論を説いた政治学者のトーマス・ファーガソンは、米国の選挙制度についてこんな名言を残している。

「選挙とは、国の支配権をかけた、効率の良い投資である」

企業の意思表示が無制限に保護された結果、選挙は有力企業と、その意向を代表するコンサルタント、広告代理店、世論調査会社が演出する巨大な劇場となっていった。

一四八万本のＣＭ広告費で笑いが止まらないＴＶ局

政治と有権者の距離を変えてしまったこの市民連合判決について、まだまだ大半の国民が知らないのはなぜなのか。

『ローリングストーン』誌の編集委員ティム・ディッケンソンは、その理由をこう語る。

「大手テレビ局が沈黙しているからです。市民連合判決で最も恩恵を受けたのは彼らですからね」

二〇〇八年に五億ドル(約五〇〇億円)だった選挙広告費は、二〇一二年には八倍以上の四二億ドル(約四二〇〇億円)に跳ね上がった。二〇一〇年、市民連合判決後初の中間選挙では、選挙前の一か月だけで一四八万本、投票日前日に流れたCM数は過去最高数の一一万本だ。

「市民連合判決以降、企業であっても個人であっても何億、何兆ドルでも無制限に集められ、集めた総額も、寄付者の名前も一切公表しなくてよくなったのです。たとえ巨大多国籍企業が一人の候補者を丸抱えしていても、国民にはまったく知られません。

スーパーPAC(特別政治活動委員会)は表向きは候補者とは関係ない団体なので、ライバル候補者に対する根も葉もない醜悪なネガティブCMを流したとしても、候補者本人は自分とは「一切関係ない」と言える。だからエスカレートするわけです」

二〇一二年の大統領選挙ではバラク・オバマ側に四億六〇〇〇万ドル(約四六〇億円)、ミット・ロムニー側に三億六〇〇〇万ドル(約三六〇億円)の広告費が使われた。相手候補を中傷するネガティブCMは全体の九割を占めている。テレビ局側は政治家本人や党の選挙CMは広告費を割引かなくてはならないが、スーパーPACが依頼するCMは通常の料金を請求できるのだ。そして二〇一〇年の判決以来、無制限かつ匿名で資金を集められるスーパーPACの広告費に占める比率が劇的に拡大したことは、テレビ局にとって朗報以外の何物でもなかった。

「テレビ局と大口スポンサーの癒着が際限なく肥大化することに危機感を持った連邦通信委員会（FCC）は、大手放送局のABC、CBS、NBC、FOXチャンネルなどに政治広告収入を公表するよう勧告しましたが、全米放送事業者協会（National Association of Broadcasters）は、ケーブル局など零細放送局の経営を妨害しかねないと反論し、すぐに緊急免責要求を出しました。全体の四割を占める激戦区地方局の広告費はこのルールの適用外ですし。まあ一回の選挙で一四八万本のCM料ですから、テレビ局は笑いが止まらないでしょう」

「国民はこうした選挙資金法の変化に、どれくらい気がついているのでしょうか」

「有権者のほとんどは、選挙資金がどこからきてどのように処理されるかすら知りません。問題は、テレビCMがターゲットに植えつけるものが、「知識」ではなく「イメージ」だということです。大量に流れてくるネガティブCMは有権者に、広告会社が映像と音で作り出した候補者像を皮膚感覚ですりこんでゆく。普通の人はテレビのCMを見るとき、これは誰からどこにお金が出て、どんなふうに作られた広告だろう、といったことには関心を持たないのです」

献金元をたどれば、当選後の政策がわかる

八〇年代から加速した規制緩和と民営化、垂直統合、政府・企業間の回転ドア、ALEC、そして市民連合判決といった一連の動きが、アメリカを統治政治から金権政治へと変えていった。寡占化によって巨大化した多国籍企業は、立法府を買い、選挙を買い、マスメディアを買うことでさらに効率よくその規模を広げてゆく。

「最大の問題は、こうした動きが国民の知らないところでスピードを上げていることです」

そう言うのは、二〇一〇年の中間選挙でカリフォルニア州の第三党から州議会議員に立候補したジル・スタインだ。

「大企業は吸収や合併を繰り返し巨大化するにつれ、無駄がなくなりシステマティックになってゆきます。この動きは年々加速しているのにもかかわらず、あまりに洗練されているので国民の意識がついていけていない。その時差をマスコミがさらに利用するのです」

「どんなふうに利用するのでしょうか」

「たとえば、選挙の時期になるたびに、マスコミはこの国にまだ二大政党制が機能しているかのようなイメージを振りまいてきました。保守対リベラル、共和党対民主党、赤い州対青い

州、といった具合です。大衆は分かりやすい構図を好みますし、ＣＭも二つの対立軸を煽るように作られている。国民を高揚させるようにデザインされているのです」

「そのことによる弊害とは何でしょうか」

「国民がマスコミと政治家によって見せられるイメージと、実際に起きていることのギャップの大きさです。二〇一二年の大統領選挙では、「１％」の代表であるロムニーが金権政治の象徴で、オバマがその逆であるかのようなイメージが、テレビ画面を通じてリベラル派の間に広がりました。反ロムニー感情を煽られたリベラル派の多くは、あっと言う間に忘れてしまったのです。オバマ大統領が二〇〇八年に就任した直後に、いったい国民の税金を何に使ったのかを」

二〇〇八年、政治資金監視団体のサイト「オープン・シークレッツ（OpenSecrets.org）」は、オバマ大統領が公的資金注入を実施した大手保険企業であるＡＩＧ社から、選挙の際に一〇万四三三二ドル（約一〇四三万円）の献金を受け取っていた事実を公表している。

「税金から一七三〇億ドル（約一七兆円）もの公的資金を受けて経営破綻を逃れたＡＩＧは、その後幹部に一億六五〇〇万ドル（約一六五億円）、従業員に二億三〇〇〇万ドル（約二三〇億円）のボーナスを支払い、国民の怒りを買いました。国内の失業率が一〇％を超えているのに、救済金は一般市民や中小企業ではなく金融機関幹部に流れた。その行き先はオバマ大統領の選挙スポンサーリストとピッタリ合っているのです」

たしかに政治献金の内訳を見ると、当選後の政策と明らかにリンクしているのが分かる。二〇〇八年のオバマへのトップ献金元リスト上位に並ぶのは大手金融機関だ。AIG社が受け取った公的資金の半分が流れた同社の大株主で最大債権者のゴールドマン・サックスは、オバマ献金元リストの第二位にいる。

回転ドアも年々回る速度を上げている。

政治と業界の関係性などを調査する市民団体「責任ある政治センター(Center for Responsive Politics)」のデータによると、オバマが大統領に就任した二〇〇九年から二〇一〇年の一年間、金融業界と政府の間の回転ドアは猛スピードで回り続けたという。政府関係者一四四七人がオバマの選挙献金大口スポンサーである銀行、証券会社、保険会社、不動産会社などにロビイストとして転職する一方で、業界出身者が次々に閣僚に指名された。「ロビイストの入閣を禁止する」という選挙期間中の公約は、あっさりと翻されている。

「金融業界だけではありません。軍需産業には見返りとして就任直後にアフガニスタンに米軍を増派し、任期中ずっとイラクとアフガニスタンに軍を派兵し続けています。医産複合体には民間医療保険入会を義務化するオバマ・ケアを導入し、教育産業にはチャータースクールと教育ビジネス推進政策、食産複合体にはモンサント保護法など、本当に数え上げればきりがありません。今では巨大多国籍企業と政府間の回転ドアはワシントンでは常識になってしまいました。年々ドアが回る頻度が上がってゆくのです」

「そうした傾向と、マスコミが描く二大政党や赤と青の対立軸との関係性は？」

「対立軸は真実を隠すのに都合がいいのです。企業による金権政治は今や共和党だけでなく、民主党にも貫徹している。そしてこの異常な額の選挙献金が、勝敗だけでなくその後の大統領や州議会議員の政策も支配することは、国民に見えていないのです。選挙のとき受け取る額が大きくなればなるほど、献金元である産業界の意向に反した途端、次の選挙では勝てなくなる。

大統領も同じです。選挙中どんな公約をしようが、スポンサーの意向に沿わなければ、上下両院の承認を得ることもできない。分かりますか？　政治家もマスコミも買われてしまった今、アメリカの民主主義は、数年ごとに開催される大規模な政治ショーと化したのです」

ティーパーティの陰のスポンサー

二〇一二年の大統領選挙では、金融業界への巨額の公的資金投入に反発した保守派の運動

「ティーパーティ」も影響力を見せた。

だがその話に言及するとジルは苦笑しながら首を振る。

「ティーパーティは誕生当時、その後二〇一一年末にニューヨークで起きた「オキュパイ・ウォール街デモ」と根底が同じでした。どちらも「1%」の意向による政府の暴走に抗議して始まっていましたから。けれど、業界の対応は素早かった。右派の大物でALECの最大スポンサーでもある、巨大コングロマリットのオーナー、コーク兄弟を筆頭に、「1%」を財源にしたフリーダムワークスという組織が、あっと言う間にティーパーティを取り込みました。

フリーダムワークスはティーパーティの資金源と会計処理を仕切り、訓練された選挙マネージャーを各地に派遣し、内部から運動を誘導していったのです。

同じく「1%」が所有するFOXニュース社はティーパーティの動きを派手な形で全国に宣伝しました。もちろん無知で過激な参加者もたくさんいたので全員が組織化されていたわけではありませんが、保守による純粋な草の根運動というのは、マスコミに作られたイメージでした」

「二〇一二年の選挙は、大きな政府に反発するティーパーティ運動の存在に焦点があてられ、赤と青に分断されるアメリカというイメージで描かれていましたね」

「赤と青に分断されたアメリカ、そのとおりです。国民の意識は保守対リベラルにひきつけられる。けれどそれはバーターで、今のアメリカ民主主義は「１％」によってすべてが買われているのです。司法、行政、立法、マスコミ……「１％」は二大政党両方に投資し、どちらが勝っても元は取る。テレビの情報を信じる国民は、バックに巨大企業がいることなど夢にも思わずに、いまだに敵を間違えているのです」

過激な人物が真の問題から目をそらさせる

二〇一三年三月一日、オバマ大統領は共和党との間で合意が形成できなかったとして「強制歳費削減」を発動した。

これによって二〇一三年九月までの七か月に、八五〇億ドル（約八兆五〇〇〇万円）が強制的に削減されることになる。社会保障と国防費中心の予算カットに増税を抱き合わせて破綻を回避するという政府の発表に、多くの国民はショックを受けた。

「オバマ大統領は中間層を救済すると言っていました。これだけ経済の状態が悪化しているのに社会保障カットと増税をされたらやっていかれません。妥協しなかった共和党は、弱者を切り捨てて金持ちさえ良ければいいと思っているんです」

ブロンクスの社会保障事務所で働くミランダ・バンクスは共和党への怒りを口にする。

「オバマの再選は「1%」にとっては痛手だったでしょうよ。自分たちの代表であるロムニーが負けましたからね。ウォール街の銀行家たちやグローバル企業はねらいが外れたのです。もう四年間徹底的に、オバマ大統領と民主党の邪魔をするつもりなんでしょう」

二〇一二年の大統領選期間中、アメリカ国内のリベラル派の間では、オバマを再選させることがこのすさまじい二極化を止める重要

私たちは「99%」だ!(Liberation, 2011年10月17日)

な第一歩だと言われていた。

「この四年間でずいぶんがっかりさせられたものの、今でも多くの民主党員の間では、オバマに対する期待は高いのです」

オレゴン州ポートランドでオキュパイ運動を続けていたポール・マキュベリーは言う。

「ロムニーはあまりにも分かりやすい「1%」の代表でした。ウォール街の投資家として大成功し、専業主婦の妻に五人の息子とスーパーリッチな暮らし。そして選挙中は税金を払わない貧困層を切り捨てるような暴言を繰り返した。多くの国民の反発を買ったのです」

だが選挙戦が進むにつれて、ポールはこの構図にふと違和感を覚えたという。

「ロムニーの過激な発言をマスコミが繰り返しセンセーショナルに取り上げることで、国民のなかにロムニーが悪役のイメージがすり込まれました。大衆は分かりやすい善と悪の図に弱い。選挙戦の後半から、オバマは「99％」の側だという空気が流れ始めたのです。この四年間、オバマ大統領が「1％」側のためにやった多くの政策は、話題にのぼらなくなった。民主党員やリベラル派の人々は、過去のオバマ政権の検証よりも、今目の前にいるロムニーに対する憎しみの感情に呑まれていったのです」

「でも国民にはロムニーかオバマしか選択肢になかったのでは？」

「そのとおりです。ですが忘れてはならないのは、怒りやショックの感情に呑まれると、人は正常な判断力を失うということです。今回の財政の崖による社会保障予算の強制削減について、国民は共和党を批判しています」

「共和党と合意に至らなかったからやむなく発動したと言っていましたね」

「それは嘘だ。二〇一一年の夏に予算強制削減についての財政管理法が成立したときのことを覚えていますか？　そもそもあれを提案したのはオバマ大統領です」

二〇一一年の夏、八五〇億ドルの強制削減案を提案したのはオバマ大統領だった。だがオバマ大統領自身は「強制削減は私の案ではない」と力説している。これを不審に思った「ワシントン・ポスト」紙のボブ・ウッドワード記者は、同法律がオバマ大統領の案だった事実を記事にした。するとすぐに国家経済会議の主任から、記事を書き続けると後悔するぞというメールが送られてきたという。だがウォーターゲート事件をスクープした実績を持つウッドワードに脅しは通用しなかった。ウッドワードは気にせず記事を書き続け、送られてきた脅迫メールも公開した。

「結局オバマ大統領は、法案が自分の提案だったことを渋々認めました。そのうえでまだこう言っているのです。社会保障削減で国民が負う痛みは、妥協しなかった共和党のせいだと」

だがこれはつじつまが合わない話だった。

専門家の試算では、社会保障税は少なくとも向こう数十年は影響を受けないことが明らかにされている。

「ティーパーティやロムニー候補のような、こちらの感情を逆なでするような存在は、それ以外の人物を穏健派に見せ、もっと危険な政策から目をそらさせてしまう。二〇〇八年には暗黒の八年を象徴するブッシュ元大統領の存在がオバマを救世主のように見せ、私たちは熱狂しました。けれどよく考えたら、オバマ大統領も何百億ドルという献金を受けている。リベラル派は忘れているのです。「1%」は、二大政党両方に投資するのだということを」

寡占化するマスコミとソフトニュース

八〇年代から始まった、規制緩和と市場化政策による寡占化ラッシュは、食や農業、医療や政治などに加え、もう一つ民主主義の根幹にかかわる重要分野、メディアも変質させていった。

メディアをターゲットに定めたのは、娯楽産業だ。

この数十年間で、国内のテレビやラジオ、雑誌や本の出版社、映画やレコード会社、テーマパークに至るまで、あらゆるものが急速な買収・合併の波に呑みこまれていった。その結果、アメリカ国内の全メディアがわずか五社の娯楽系多国籍企業傘下に組み込まれるという寡占化状態が誕生する。

民放テレビはすべてコマーシャルを収入源とする五大テレビネットワークに支配され、そのCM代理店もまた、数社が支配する構図になった。これはつまり、大手広告代理店を押さえられる資金力を持つ上位「1%」が、アメリカ国内の世論を操作できる力を手に入れたことになる。

「広告代理店のポリシーは、視聴者は消費者、ニュースは商品というわけです。当然効率よ

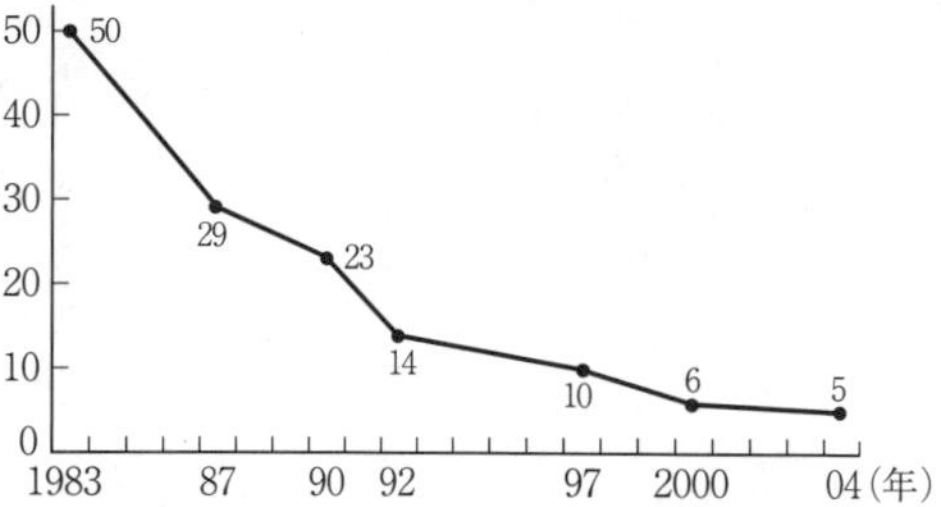

寡占化してゆくメディア(注：アメリカの主要メディア(新聞，雑誌，テレビ局&ラジオ局，出版，音楽，映画，ビデオ，通信社および写真エージェント)の企業数の推移)(Media Reform Information Center)

く大量生産できるよう、大規模なコスト削減が始まりました」

そう言うのは、元「LAタイムス」紙記者のアレン・ジェイムスだ。

「マスメディアがウォール街の投資商品の一つになったとき、この国のジャーナリズムは崩れ始めました。「LAタイムス」を買収したのは報道のことなど何も知らない不動産大富豪です。彼は記者たちに、経費削減のために新聞の紙面を減らしてもっと広告を増やすよう命令し、それに抗議した記者たちを大量に解雇したのです」

八〇年代からの数十年、ジャーナリストにとってまさに暗黒時代が続いているのだと、アレンは言う。

「他の多くの業界と同様、マスメディアもまた、企業に買われたのです。これにより、企業メディアが責任を負うべき対象は、権力を監視するという公共利益から、株主利益に変わりました」

「大企業の株価が上がる一方で実体経済が悪化するという二極化については?」

「今この国で起きているそうした危機こそ、本当はもっともっと報道されるべきでしょう。けれど効率とコスト削減という経営方針の下、ジャーナリストの失業率も上がり続けている。失業者が溢れていても、現場に行ってその事実を報道する労働記者がいなくなっているのです」

「この変化の中で、技術革新によるネットメディアの誕生はどんな位置づけでしょう?」

「ネットメディアには可能性があると言われますが、問題の根っこである、この歪んだ企業支配の構図にメスを入れることが重要です。それをしなければすぐ同じことになるでしょう。実際にもう、広告主はブロガーのコンテンツに介入するようになっている。企業はキーワードを金で買い、企業と深く結びついた政府は、愛国者法を始めとする数々の監視法によってネットの中身を検閲し、特定のブログをいつでも閉鎖できる権限まで手にしています」

問題は情報の伝達技術ではなく、ビジネスモデルの方なのだ。

「寡占化によって報道機関の株主がエンターテインメント業界になったことで、ニュース報道に求められる内容にはどんな変化が起きましたか」

「報道には公共性より娯楽性が求められるようになりました。選挙期間ですら、上からの指示で九割以上は政策を扱うハードなものではなく、スキャンダルや広告中心のソフトニュースになった。アメリカの有権者には、真に論じられるべき政策は知らされなくなりました」

なぜ大統領公開討論会に第三党は出ないのか

二〇一二年一〇月。大統領選挙報道が最も盛り上がる公開討論会の最中に、一通のリーク文書が暴露された。

二一頁のオバマ、ロムニー両者宛て書面に記載されていたのは、公開討論会についての詳細なルールだ。

「事前に決められた以外の議題に触れることは禁止」「聴衆からの質問は一度のみ。追加質問は禁止(マイクは質問直後にオフにする)」「司会者からの追加質問は禁止」「テレビカメラが候補者の答に対する聴衆の反応を映すのは禁止」。同文書を掲載した『タイム』誌の記事には、多くの国民から怒りに満ちた反応が寄せられた。

だが実は前回の大統領選挙でも、マケイン、オバマ両陣営が事前談合で討論内容を詳細に決めていたことが、第三者機関によって暴露されている。

大統領選挙の重要要素である公開討論会について、なぜ今までこうした検証がされなかったのか。オークランド在住の、元州議会議員候補ローラ・ウェルズはこう語る。

「国民が大手マスコミ報道にまったく疑問を持たないからです。彼らのほとんどは討論会でどちらがより優勢か、より口汚いかといったことに興奮する、ショー感覚で観ているのです」

大統領候補による公開討論会の歴史は、一九六〇年のニクソン－ケネディ対決にさかのぼる。討論会を仕切っていたのは、有権者のためにバランスと公平性を重視する「国立女性連盟」だ。

討論会には二大政党を始め、第三党や無所属候補まで人選もテーマもバランスよく設定され、全員に発言時間が平等に与えられていた。

二大政党が触れたがらない政策は、国民の声の代弁者として第三党がすくいあげる。米国社会の基盤となった婦人参政権や奴隷制の廃止、児童労働法に失業手当法、公立学校の設立など、多くの優れた政策は、どれも第三党の力強い押しが成立させてきたのだ。

だがこの民主的バランスは、一九八七年に設立された独立法人「大統領討論委員会」の登場によって、終わりを迎えることになる。

討論会を主催する権利を手に入れた同法人は、手始めに討論会手続きを非公開にし、候補者の参加条件を「全国得票率一五％」まで大幅に引き上げた。

「この条件は第三党の締め出しを意味します」とローラは言う。

「有望候補者として認められ公的助成を受けられる得票率は五％。つまり本来そのラインを突破した五、六人の候補者が、有権者の選択肢になるべきなのです」

その結果一部の例外を除き、第三党の候補者は討論会から姿を消した。討論内容も二大政党が基本合意ずみのテーマばかりになり、両党のわずかな違いをテレビの前で大げさに議論するようになっていった。かつて第三党候補が言及したような、米軍基地撤退やいきすぎた経済格差、公教育の重要性などは議論のテーブルから姿を消した。

その背景にもまた、巨大企業からの資金の流れと人脈がはっきりと存在している。

「大統領討論委員会」の設立者は二大政党で、会長二人はどちらも大企業のロビイスト、そして財源はすべて民間からの企業献金だ。よって討論会の参加者や議題、司会者からの質問は、どれも献金元企業に配慮した内容のみになってゆく。

「大恐慌以来最悪の格差拡大、愛国者法に公教育の崩壊、自由貿易による産業の空洞化など、国民を今最も苦しめている危機的な議題の数々は、決して二大政党からは出てきません。なぜならそこに企業利益が絡んでいるからです」

企業が市民運動を利用する

今回八五〇億ドルという巨額の包括的歳出削減案を、大きく後押ししたある市民運動の存在があった。共和党は増税に反対し、民主党は社会保障費削減に反対するという政治的硬直状態が続けば、強制的な緊縮財政が発動され、アメリカ経済が破綻する。そう危機を感じた人々が、国が抱える財政赤字の削減を議会に呼びかけたキャンペーン、「債務解決キャンペーン(Campaign to Fix the Debt)」だ。

「猛スピードで増えている財政赤字を何とかしなければ、この国はもたなくなる。その場しのぎの応急措置ではなく、この国の未来のために抜本的な赤字削減対策を最優先することこそが政府の責任だ」

明確なメッセージを掲げた債務解決キャンペーンは、議員や企業家、一般の有権者や学者などがかかわる超党派の市民運動として全国各地で拡大、SNS(ソーシャル・ネットワーキング・サービス)などを使い、全国の若者や各地の国会議員たちに強力に影響を与えた。

だがこの運動は、その後独立メディアの調査によって、背後にいたスポンサーの存在が明るみに出る。運動には大手投資ファンド、ブラックストーンの創設者でリーマン・ブラザーズの元会長、ピーター・ピーターソンの五億ドル(約五〇〇億円)を筆頭に、彼の考えに賛同した一二五人の大企業CEOたちがそれぞれ巨額の資金を投入していた。彼らは二〇一〇年にオバマ大統領が発足させた、財政赤字対策諮問委員会「シンプソン・ボウル・コミッション(＝SBC)」の関係者だった。

「膨れあがる財政赤字への対応は、まず経済を刺激しながら大口支出を減らしてゆく、よって企業減税と社会保障費削減を合わせた政策を実行すべきだ」。政治エリートや経済界の代表が集まったSBCからのこの提案に、当初多くの議員たちは難色を示した。大恐慌以来最悪の失業率とフードスタンプ急増という状況で、そんなことをしたら有権者の反発は避けられない。SBCの提案はあっさりと却下された。

財政赤字は、二極化した社会のどちら側にいるかによって、とらえ方がまったく異なってくる。「1%」層の目に映る未来は、その他大勢とは優先順位が違うのだ。だがリーマンショック以降、国民の富裕層への反発はこれ以上ないほどに高まっていた。正攻法で欲しいものを手に入れるのは難しいだろう。そこで彼らは手法を百八十度変更し、世論のニーズに沿った新しいマーケティング戦略を打ち出した。『ネイション』誌の通信人であるジョン・ニコラスは、彼らの洗練された動きをこう語る。

「彼らは同じように緊縮財政を望むような、グローバル企業のCEOや大富豪たちを集めると、彼らに向かってこう言ったのです。「議会が我々の提案を受け入れないなら、世論に議会を動かさせるまでだ」」

参加者はSBCの案を称賛し、新しい戦略のための資金を気前よく寄付してくれた。まずは一〇〇〇万人分の署名。これは専門業者から簡単に買うことができる。そしてネットを使ったスタイリッシュなやり方で、若者世代の関心を引く。不況のときは仮想敵の存在が役に立つ。社会のなかでさまざまな不満を抱えている彼らの怒りを別なものに向けるのだ。フェイスブックやツイッターなどSNSを日常とする若者の間で火がつけば、あとは爆発的に広がってゆくだろう。

間もなくして、ユーチューブにアップされた、ある一本の動画が拡散していった。タイトルは「若者」、軽快な音楽と共に、大学生らしき声でリズミカルなナレーションが入る。

「ツイッターなんかやってないで、ユーチューブで起きていることを見てみろよ。ソーシャルメディアというこの素晴らしい武器を使って、署名集めにかかろうぜ。週に三人、どんどん広げよう。今やらなければやられるぜ。ぼけ老人たちがこの国の金を食いつぶしてる。早くしないと金庫が空っぽになっちまう、さあ動くんだ……!」

それはまさにきめ細かく計算された、若者向けのショック・ドクトリンだった。アメリカ経済破綻という恐怖をあおり、世代間格差を強調して若者の被害者意識を高齢者に向ける。ただでさえ生活が苦しい若者たちの怒りの矛先は、アメリカの過度な二極化を作りだしている「1％」とそれを後押しする株主至上主義政策からそれてゆく。若者の未来を食いつぶしている犯人は、貴重な税金でのうのうと保護されている高齢者とメディケア（高齢者・障害者向け公的医療保険制度）に摩り替わった。

若者たちの間に広がったこの動画を大手商業マスコミもすぐに大きく取り上げた。国会議員はマスコミと世論の動きに敏感だ。いつの間にか、国家破綻を回避するためには強制的な社会保障や公共サービス削減はやむをえないという論調が、アメリカ全体に浸透していった。これによって七〇万人が新たに職を失う一方で、「1％」の資産はこれまでと同じスピードか、それ以上に伸び続けるだろう。国民の不満を吸収するために、二大政党はお互いに罪をなすりつけあっていればよい。

国家破綻と緊縮財政の問題は、アメリカに、寄せては返す波のように繰り返しやってくる。過去数回起きたときの結果をたどってみると、「1％」はそのたびに、確実に欲しいものを手に入れている。

＊

「私たちには独立したマスコミが必要です」

前述したアレン・ジェイムスは言う。

「集中化された大企業の集団によって支配された今のようなマスコミではなく、単なるネットメディアでもなく、アメリカ中で起きている普通の人々の声や活動を伝え、広められる場所です。そして何よりも、国民は二大政党制というマスコミによって作られた幻想から、一刻も早く目を覚ますべきです」

「変えなければいけないのは、政党ではなく体制そのものだということですか」

「そのとおりです。だからこそ国民は、自分たちの代理であるはずの政治家の言動を、本気でしっかり見る必要がある。一人一人をよく観察すると、見えてくるものがあるはずです。市民連合判決以来、政治家たちは前よりもずっと公的にはっきりと発言するようになりました。自分たちが、いったい誰のほうを向いて、誰のために働いているのかを」

＊

二〇一一年一一月一八日。

当時のヒラリー・クリントン国務長官は、シンガポール大学での講演のなかで、アメリカにとっての外交とは、単なる投資や通商条約という狭い範囲の話ではなく、もっと別のものだと主張した。

「今、世界の市場に参入しようとしている企業が、あまりにも多くの場所で、あまりにも理不尽な貿易障壁という嫌がらせを受けています。こうした壁は多くの場合、純粋な市場原理から発生したものではなく、間違った政治的な選択が生み出しているのです。

それが世界のどこであれ、企業が不公正な差別に直面した場合はいつでも、自由で、透明、公正で開かれた経済ルールを確立するために、アメリカ合衆国は勇気を持って立ち上がるでしょう。私はボーイング社やシェブロン社やゼネラルモーターズ社、その他多くのすばらしい企業のために戦うことを、心から誇りに思います……」

エピローグ――グローバル企業から主権を取り戻す

企業はモラルより損得で動かせ

二〇一三年三月。

全米最大のオーガニック・スーパー「ホールフーズ・マーケット」は、二〇一八年までに店内に置くすべてのGM作物および原料にGM由来の有機物を使用した食品にラベル表示をすることを発表した。

毎週二回はホールフーズで買い物をするという、カリフォルニア州サンタバーバラ在住のルイーズ・レイエスは、ホールフーズの決定をこう称賛する。

「去年、GMラベル表示義務化の住民投票がアグリビジネスの横槍で否決されたときはすごくショックでした。全米の果物と野菜の八割を作っているカリフォルニア州の結果は全国に影響しますから。でもお金儲けしか考えない企業ばかりではなく、ちゃんとモラルある企業もあ

カリフォルニア州のGMラベル表示義務化住民投票に反対する各企業ロゴのステッカー

ったんですね」

二〇一二年の大統領選挙と同時にカリフォルニアで行われた「GMラベル表示義務化」をめぐる住民投票は、それまで全米各地で何度も提出されたGMラベル法案と同様に、否決された。すさまじいネガティブ・キャンペーンに、モンサント社を始めとするバイオテクノロジー企業や、大手食品メーカー、農薬関連企業は四〇〇〇万ドル(約四〇億円)を超える資金を投入。賛成派の四〇万ドル(約四〇〇〇万円)の一〇〇倍だ。「ラベル表示で食品価格が上昇」は、テレビや広告を信じる州民たちに恐怖心を抱かせるには効果的なマーケティングだった。

「ホールフーズが方針を百八十度変えたのは、それから三か月たった後でした」

そう言うのは独立系環境ジャーナリスト、マイク・アダムスだ。

「ちょうど住民投票の少し前に、環境NGOのメンバーがホールフーズを覆面捜査したんです。扱っている商品にGM作物は使われていないのかどうか。顧客を装って各地の店舗で何十人もの店員に聞いてみた。その結果は驚くべきものでした。なんと商品全体の二割から三割に

GM作物が使われているというんです。なかには「会社のガイドラインで、外の人間にGM作物使用のことは言わないようにというルールがあるので」と言う店員もいた。このビデオをユーチューブにアップしたところ、あっと言う間に削除されたので、自分たちで立ち上げた専用の投稿サイトで公開しました。すごい反響があり、ホールフーズには問い合わせが殺到したようです」

「でもホールフーズはオーガニック食品を中心に、安全や環境に配慮しているPRをしていますね」

「広告ではそうですが、忘れてはいけないのは、彼らもまたピラミッド形のビジネスモデル内で商売をしている会社だということです。GMラベル表示義務化の住民投票キャンペーンには、オーガニックや環境保全を掲げる団体や企業がたくさんの寄付をしていましたが、賛同人リストにホールフーズの名前はなく、一ドルの寄付金も出ていません。GM入り食品をラベル表示なしで販売していれば、当然の行動ですよね」

「動画の反応はどうだったのでしょう」

「反応は日に日に大きくなる一方でした。私たちはありとあらゆる市民メディア・ネットワークを使って拡散したからです。ホールフーズに嫌がらせをするためではなく、消費者の信頼

セントルイスの町に貼られた「オキュパイ・モンサント」のロゴ（gmofreemidwest.org）

を裏切るような商売は続かないというメッセージを企業側に伝えるために。するとホールフーズは急に、ＧＭラベル表示義務化住民投票の賛同人に加わったのです。そしてその数か月後、同社は全米で初めて、ＧＭラベル表示を宣言しました」

「何が同社の方針を転換させたのだと思いますか」

「商業マスコミはホールフーズが従来のポリシーを貫いたとその勇気を絶賛していましたが、あれだけの大きな企業がモラルだけで動くなら、最初からＧＭラベル表示義務化の住民投票を支持し、資金を出してその姿勢をアピールしたはずです。ですが実際には水面下で猛烈な勢いで拡散された動画の影響が大きくならないうちに手を打ったというところでしょう。企業にとってのアキレス腱は何と言っても「イメージ」ですから」

ホールフーズ社はどこまでも、今回の決断は「消費者の側に寄り添った」からだと言い続けるだろう。資金の動きが表す本音はそれとは逆だが、それでも同社のこの方向転換を、自分たちは全力で支援してゆくつもりだとマイクは言う。二〇一八年までの間に、逆側からの圧力は必ず来るだろう。そのときはじかれる収支計算によって、せっかくできたこの流れが後退してしまわないように、支えるのはメディアと消費者の役目なのだと。

住民投票が否決されたあとも、人々はあきらめず動き続け、二〇一一年三月には全米でGMラベル表示を義務化する法案〈S. AMDT. 965〉が、超党派議員代表のバーニー・サンダース上院議員から提出された。

だがこれは二か月後にまたしても否決される。

「政治家はすでに大半が「1%」に買われてしまっています」とマイクは断言する。

「ならば次はその「1%」のアキレス腱に対し、私たち消費者が力を行使する番でしょう」

フェイスブックやツイッター、ユーチューブなどの新技術は諸刃の剣だ。それは利益のために大衆を操作する「1%」側のマーケティングにも、真実を伝え意識改革をうながす、「99%」側の武器にもなる。

四〇〇〇万ドルという巨大な資金力であっさりと買われた商業マスコミは、住民投票を否決させた。だがお金ではなく知恵と口コミ力で企業を動かした市民メディアの力は、「1%」に対峙する、決してあなどれない重要な力になるだろう。

大手銀行に対し預金者の力を使う

二〇一一年一〇月。マンハッタンで始まったウォール街オキュパイ運動の参加者たちに、フェイスブックを通じてこんなメッセージが拡散された。

こんにちは。アノニマス(匿名)からご挨拶申し上げます。

一か月以上にわたって、私たちはオキュパイ運動の信じられないほどの成功を目にしてきました。

八二か国、一〇〇〇の都市で、たくさんの人々がオキュパイ運動に参加してきました。開始から三〇日がたった今も、この勢いはとどまるところを知りません。

ここで皆さんに提案があります。

来る一一月五日に実行する「預金移動日」へのご招待です。

オキュパイ運動の参加者である皆さんに、現在銀行口座にある預金をすべておろし、地元の信用組合か、もしくは地方銀行に移してほしいのです。

私たちの力で、この日を銀行家にとっての特別な日にしようではありませんか。

一一月五日は、彼らにとって死ぬまで忘れられない日になるでしょう。

私たちはアノニマス
私たちは正義の戦士
私たちは不正を許さない
私たちは仲間である皆さんへの約束を、決して忘れない。

呼びかけたのはロサンゼルス在住で二七歳のアートギャラリー・オーナー、クリスティン・クリスチャンだ。きっかけは、オバマ政権下で巨額の公的資金によって救済されたバンク・オブ・アメリカによる、預金額二万ドル以下の顧客に月額五ドルのデビットカード使用料を課すという発表だった。国民の税金で助けられた銀行が、さらに国民を苦しめるという暴挙に、彼女は怒りを爆発させた。黙ってされるままでいたら、ますますエスカレートするだろう。国民は意思を行動で示さなければならない。

サンディエゴで配られた預金移動日運動のステッカー

そう思い立ったクリスティンの行動は素早かった。

彼女はすぐにフェイスブックに「預金移動日(Bank Transfer Day)」というページを新設し、メッセージを掲載した。

フェイスブックの拡散力は絶大だ。開始後一か月で八万五〇〇〇人以上が参加を表明、七〇万人が預金先を変更し、総額八〇〇〇万ドル(約八〇億円)が大手銀行から引き出された。

コロラド州デンバーでは、低額預金者だけに手数料を課す大手銀行のやり方に反発した州民一〇〇〇人が抗議デモを行い、州内の大手銀行から信用組合に総額一億ドル(約一〇〇億円)が移された。全米信用組合協会によると、各地の信用組合には四万口以上の新規口座が開設されたという。

クリスティンはマンハッタンに拠点を持つ公共ラジオ「デモクラシー・ナウ！」に出演し、今回の行動は、方向性の見えないオキュパイ運動の参加者にとって重要な意味を持つだろうと語った。

「私たちは消費者の立場から、モラルに反する経営をする企業は支援できないという、はっきりとした意思表示をすべきなのです」

「『1%』より、それを支えるシステムを攻撃せよ」

「世界中の銀行よ、よく聞きなさい。われわれが言うべきことはたった一つ。私たちはあなたたちに何も借りはない」

二〇一二年一二月。一年前に始まった「1%」への抗議行動「オキュパイ運動」に、新たな風が吹き込まれた。

あれ以来、アメリカ国民の債務はますます拡大している。全米の住宅ローンの約三割が返済不能、七秒に一軒の割合で家が銀行に差し押さえられ、国民の一〇人に四人が医療費の支払い超過に陥り、今やクレジットカードや自動車ローンを上回る学生ローンは二〇一二年三月の時点で一兆ドルに達し、債務者三七〇〇万人中二〇〇万人は六〇歳以上の高齢者だ。

「証券化ねずみ講詐欺同然のサブプライムローンで荒稼ぎした張本人は、七〇兆円もの税金で救済され、残された「99%」があらゆる借金で苦しんでいる。教育や医療、住宅のような基本的公共サービスを受けるために借金を背負わなければならないとしたら、間違っているのはそのシステムの方だ。理不尽に背負わされた債務には、徹底的に抵抗すると決めたのが、この「債務帳消しストライキ(Rolling Jubilee)」運動です」

この運動にかかわっているブルックリン在住のケビン・バーンスタインは言う。

「今世界で起きているのは、あらゆる形の不公平な債務です。高い授業料のために法外なローン利子を払わされる大学生、一度の病気で破産する患者たち、八〇歳過ぎても仕事を探しながらクレジットカードで家賃を払う高齢者、働いても働いても借金が増えてゆく養鶏場の生産者……。ここ数年で自己破産することもさらに難しくなりましたから、債務者は永遠に利子だけ絞りとられ元金は減らないというループにはまってしまう。こうした異常な債務を作りだしているのは、どれもそれで巨額の利益を得ている業界と政治の癒着なんです」

「オキュパイ運動は、「1%」に対する抵抗として始まりましたね」

「ええ、そうです。ですが一年たって、僕たちは気づいたのです。「1%」を批判していても何も変わらない。あれから一年たちますが、相変わらず「99%」はますます貧しくなり、国民の七六%が借金を抱えているのに、「1%」の利益は上昇する一方だ。だからやり方を変えたのです。彼らのシステムそのものに、攻撃をしかけようと」

彼らのやり方はこうだ。

学生ローンや未払いで破綻した医療費、住宅ローンなどは、銀行から不良債権として一ドルにつき約一セントという底値で売り出される。債権回収業者がこれを買い取り、もともとの債務者から取り立てる債権回収ビジネスは六〇〇億ドル規模の巨大市場だ。そこで債権ストライキ運動は、資金集めのコンサートやオンライン寄付で集めた資金でこの不良債権を買い上げる。一つだけ違うところは、回収業者のように取り立てに行く代わりに、そのまま破棄してしまうことだ。そして債務者には短いメッセージが一行だけ書かれた封書が送られてくる。

「おめでとう。あなたの借金は帳消しになりました」

はじめは五万ドルを目標に募った寄付は、メンバーの想像を超えて約六〇万ドル集まった。これは一二〇万ドル分の不良債権を帳消しにできる計算だという。

ケビンはこの運動のメンバーが発行し配布している冊子『債務抵抗者マニュアル』の作成にもかかわっている。

「働いても働いても借金が返せなくなる無限ループにはまりこんでしまうと、人は弱気になるんです。政府やマスコミは盛んに、「借りたものは返すべきだ」というメッセージをばらまいて、債務者に自己責任という義務感を植え付けてくる。するとどうなるか？　債務者は自分を責めるようになり、もう決して抜け出せないとあきらめてしまうのです」

「罪悪感が彼らを追い詰めてしまうのですか」

「はい、でも債務者を何よりも弱い立場に追い込むのは、基本的な知識の欠如、金融リテラシーのなさなんです」

ケビンたちが配布している一〇〇頁の『債務抵抗者マニュアル』には、正当な形で借金の総額を減らす方法や、このシステムの問題点、救済機関のリスト、金融システムの変節の歴史や、学資ローン会社が大学に払うマージンに至るまで、この社会におけるお金に関する様々なルールが、分かりやすく説明されている。

発起人の一人である文化人類学者のデイビッド・グラベルは、現代の不公正な債務システムに対するこの抵抗の波は、間違いなく今後世界的に拡大してゆくだろうと語る。

「特定の要求を出さないという戦略を持っていたオキュパイ運動は、一つ一つがバラバラだった。市民運動は、同じやり方をずっと続けることで空中分解する。そうなる前に、次のステージへと進化しなければならないのだ」

債務帳消しストライキは、分散しかけたオキュパイ運動を新しい目的でしっかりとつないでゆく。そしてこの動きは、アメリカ一国を超えて、今急速に世界各地に広がり始めているのだ。

＊

「「99％」の代表を政界に送らなければなりません」

そう言うのは、カリフォルニア州オークランド在住の元州議会議員候補ローラ・ウェルズだ。

「二〇〇六年、カリフォルニア州郊外にある人口一〇万人の町、リッチモンドの市長選挙で、ある実験が行われました。民主党と第三党、無所属が集まって、「オリーブの木」と呼ばれる統一連合を作ったのです。お互いの細かい政策の違いには目をつぶり、今回はたった一つの目的のもとで団結しようと」

「どんな目的ですか」

「企業献金を一切受け取らない候補者を応援するというものです」

オリーブの木連合は「99%」の代表として無所属で出馬、企業献金拒否宣言をしたゲイル・マクラフリン候補を支援することで一致する。そのころリッチモンド市では、世界最大の大手石油企業シェブロン社に対し課されるライセンス料導入の是非が議論されていた。これが導入されると二〇〇〇万ドルの支出になるシェブロン社は、導入に反対する候補者に六万七〇〇〇ドルを献金、さらに対抗馬であるゲイルに対するネガティブ・キャンペーンに六万二〇〇〇ドルを投じた。

ゲイル側が草の根で集めた選挙資金の合計はその四分の一の一万七〇〇〇ドルだったにもかかわらず、結果はゲイルが当選、「フォーチュン500」企業を打ち負かしたオリーブの木連合の勝利は、大企業による政治支配構造にうんざりしていた全米の市民にとって、大きな希望となったのだった。

「リッチモンド市はシェブロン社の牙城です。もちろん彼らはあきらめませんでした。次の二〇一〇年の選挙では、企業寄りの候補者を三人立てて合計一〇〇万ドルの選挙献金を投じてきたのです。商業マスコミも、今回はオリーブの木連合が惨敗だろうと、さかんに書きたてま

アノニマスの一人と筆者(2012年11月)

した」

だが、シェブロン社の候補は三人とも落選、今回もオリーブの木連合が立てた企業献金なしの候補者三人が、市長と市議にそれぞれ当選したのだった。

「莫大な企業の資金力に、オリーブの木連合はどうやって対抗したのですか」

「彼らはお金がない分、数の力で闘いました。地味でオーソドックスなやり方ですが、本当に一人一人が電話がけやチラシ配り、地域の家々を一軒一軒回って、この選挙の結果が意味するものを一生懸命説明したのです。企業献金を受け取らず、「99%」のための代弁者になる人材に、地域共同体の未来を託すことの意味を」

ローラは現在、自らが住むオークランド市を中心に、「企業献金拒否候補を支援する運動」を広げている。彼女はカリフォルニア州で同じく拡大中の、GMラベル表示義務に関する住民投票もまた、終わりではなく始まりだと言う。

「あの住民投票を見てください。四〇億ドル(約四〇〇〇億円)も投じた企業側によって否決されたけれど、ホールフーズを筆頭に、GM食品を扱う企業も変わり始めています。選挙も住民投票も、一度負けたらそこで終わりじゃない。地道な努力は目に見えない形で、私たちをちゃんと先へと引っ張ってくれている。あきらめず何度でも繰り返すことで、無関心な人々の意識を少しずつ変えてゆくことは、目に見えない未来への投資なのです」

選挙や投票結果は、終わりではなく通過点なのだ。

＊

はたして国民は、株式会社化した国家から、主権を取り戻せるだろうか。

オハイオ州のオキュパイ運動で出会ったアノニマスの一人が、一一月の寒空の下私に言った言葉を思い出す。

「アノニマスは顔がないと思われているけれど、俺たちは羊じゃない。「1%」の価値観のなかで意思を持たない奴隷として生きる気はまったくないよ。あきらめて流れに身をまかせたら負けだ。まず自分の意思で生き方を選ぶと決めなくちゃ。連中は国境を越えて団結してるけど、ならばこっちもＩＴという武器を使って、どんどん連携すればいい。教えてやろうぜ。グローバリゼーションは彼らだけのものじゃないってことを」

あとがき

経済が、すさまじい勢いで人類史のしくみを動かしている。
『ルポ貧困大国アメリカ』（岩波新書、二〇〇八年）で描いたブッシュ政権の政策は、市場こそが経済を繁栄させるというフリードマン理論がベースになっていた。政府機能は小さければ小さいほどいいとして規制緩和を進め、教育や災害、軍隊や諜報機関など、あらゆる国家機能を次々に市場化してゆくやり方だ。

だが、「経済徴兵制」が支えた二つの戦争で急上昇した戦費と企業減税で、国内の格差が一気に拡大、さらに世界中を巻きこんだアメリカ発金融危機に、レーガン政権以降の新自由主義万能説への批判が高まった。不信感は二〇〇八年の政権交代につながり、「チェンジ」を掲げるオバマ政権下では、経済政策の軸を市場に委ねる「小さな政府」から、政府主導で経済再建を目指す「大きな政府」へと移ってゆく。

『ルポ貧困大国アメリカII』（同右、二〇一〇年）のオバマ政権下では、国民を監視する政府権限が真っ先に強化された。巨額の税金が大企業やウォール街に流れる一方で、公務員の行動は管理され、SNAP人口は拡大し、無保険者に民間医療保険加入を義務づける法律が成立した。

人々は今、首をかしげている。オバマ政権が大きな政府であれば、なぜ二極化はますます加速しているのだろう。株価や雇用は回復したはずなのに貧困は拡大を続け、医療、教育、年金、食の安全、社会保障など、かつて国家が提供していた最低限の基本サービスが、手の届かない「ぜいたく品」になってしまった理由について。かつて「善きアメリカ」を支えていた中流層や、努力すれば報われるという、「アメリカン・ドリーム」は、いったいどこに消えたのか。

民主党が批判した「ブッシュの新自由主義」と、共和党が批判する「オバマの社会主義」。商業マスコミが差し出す一見分かりやすいこの構図は、過去三〇年で変質したアメリカの実体経済についての疑問には、決して答えてくれないだろう。

貧困は「結果」だ。

現象だけでなくその根幹にある原因を探っていくと、いまのアメリカの実体経済が、世界各地で起きている事象の縮図であることが分かる。

経済界に後押しされたアメリカ政府が自国民にしていることは、TPPなどの国際条約を通して、次は日本や世界各国にやってくるだろう。

二〇一三年二月二八日。安倍晋三首相は、所信表明演説のなかで明言した。

「世界で一番企業が活躍しやすい国を目指します」

いま世界で進行している出来事は、単なる新自由主義や社会主義を超えた、ポスト資本主義の新しい枠組み、「コーポラティズム」(政治と企業の癒着主義)にほかならない。

グローバリゼーションと技術革命によって、世界中の企業は国境を超えて拡大するようになった。価格競争のなかで効率化が進み、株主、経営者、仕入れ先、生産者、販売先、労働力、特許、消費者、税金対策用本社機能にいたるまで、あらゆるものが多国籍化されてゆく。流動化した雇用が途上国の人件費を上げ、先進国の賃金は下降して南北格差が縮小。その結果、無国籍化した顔のない「1%」とその他「99%」という二極化が、いま世界中に広がっているのだ。

巨大化して法の縛りが邪魔になった多国籍企業は、やがて効率化と拝金主義を公共に持ち込み、国民の税金である公的予算を民間企業に移譲する新しい形態へと進化した。ロビイスト集団が、クライアントである食産複合体、医産複合体、軍産複合体、刑産複合体、教産複合体、石油、メディア、金融などの業界代理として政府関係者に働きかけ、献金や天下りと引きかえに、企業寄りの法改正で、〝障害〟を取り除いてゆく。

コーポラティズムの最大の特徴は、国民の主権が軍事力や暴力ではなく、不適切な形で政治と癒着した企業群によって、合法的に奪われることだろう。

本シリーズに登場する、〈独占禁止法〉〈グラスస్టィーガル法〉〈消費者保護法改正〉〈落ちこぼれゼロ法〉〈農業法〉〈医療保険適正価格法〉〈モンサント保護法〉といったこの間の法改正を見るとよく分かる。これらが実施されるたびに本来の国家機能は解体され、国民の選択肢が奪われてきたからだ。

企業によるイメージ戦略は、美しい名称をつけることによって、公益と逆行する法律内容を国民の目から隠している。たとえば二〇一四年に施行される〈オバマ・ケア（医療保険適正価格法）〉は、病歴にかかわらず民間医療保険への加入を義務づけるため、適正価格どころか月々の医療保険料を今より最大三倍値上がりさせてしまう。ＩＲＳ（国税庁）の試算では、平均的な四人家族の場合、最も安い保険料は二万ドル（約二〇〇万円）、加入しなければ強制的に銀行口座から罰金が引き落とされるという。雇用主による団体保険提供条件も、従業員の勤務時間が四〇時間から三〇時間へと短縮されるため、多くの国内企業は、すでに拠点を国外に移すか、正社員を週二九時間勤務のパートタイムに変えている。現在海外移転を検討中の、全体の四分の一を占める一六〇業種のサービス業は、雇用どころか失業者数をますます拡大させるだろう。

ニューヨークに本部を持つ医療NGO、「ヘルスケアナウ」のスタッフ、ケイティ・ロビンスは、この法律も名前と内容が百八十度違うと批判する。

「オバマ・ケアは、今や保険会社のもとで働く労働者と化した医師たちや公立病院、過疎地の医療をさらに廃業へと追い込むでしょう。法外な値で押しつけられた医療保険は、野放しの利益重視システムのなかで医療難民や医療破産人口をますます増やします。儲かるのはこの法律の熱心な支持者だった投資家と製薬会社、医療保険会社だけ。その証拠に彼らの株価だけが、すでに急上昇していますよ」

「それはアメリカの企業ですか」

「いいえ、多国籍企業群だと思った方がいいでしょう。かつてのように武力で直接略奪するのではなく、彼らは富が自動的に流れ込んでくるしくみを合法的に手に入れるのです」

そう、国境はないのだ。メキシコやカナダ、イラクや南米、アフリカや韓国の例を見ると分かるように、アメリカ発のこの略奪型ビジネスモデルは、世界各地で非常に効率よく結果を出している。どこの国でも大半の国民は、重要な鍵である「法律」の動きに無関心だからだ。TPPやACTA、FTAなどの自由貿易をアメリカ国内で率先して推進する多国籍企業群は、こうした国際法に国内法改正と同じくらい情熱を持って取り組んでいる。

「1%」にとって、国家は市場の一つにすぎず、国単位で対抗できないという事実に気づかなければ、ナショナリズムやイデオロギー、宗教やささいな意見の違いなどに煽られて「99%」は簡単に分断されてしまう。

モンサント社はイラクで有名になった民間軍事会社であるアカデミ社(旧ブラックウォーター社)を買収している。その後、ビル&メリンダ・ゲイツ財団はモンサント社の株五〇万株を取得。食、情報、軍事の三分野における世界トップクラスの統合は、この流れをますます加速させるだろう。

しかけられているのは、多様性に対する攻撃なのだ。

＊

二〇一三年五月。EU議会は、蜂を殺す農薬であるネオニコチノイドの使用を禁止した。二年間、関連企業からの嫌がらせに屈しなかった市民たちが、関係国大臣へ五〇万通ものメールを送り、何度も電話をかけ、抗議デモを繰り返し、コツコツ集めた二六〇万人分の署名を届けた結果、ついにEU議員からこんなセリフを引き出したという。

「あなたたち市民は、農薬産業界のロビイストよりも脅威だ」

時を同じくして、南米のボリビアはUSAID(アメリカ国際開発庁)を国外へ追放した。理由は「民主主義への内政干渉」。過去六年、毎年一つずつ国内の産業をグローバル企業の手から国営に取り戻してきたエボ・モラレス大統領は、今回の決断をこう表現した。

「今年国民の手に取り戻すものは、国家の尊厳だ」

いったい本当に価値あるもの、守るべきものとは何だろう。国とは何か。「1％」に奪われようとしている、主権、人権、自由、民主主義、三権分立、決して数字で測れない価値について。市場のなかで使い捨てにされる「モノ」ではなく、たった一人のかけがえのない個人としてこれらの原点を問われたとき、私たちは自らの意思で、どんな未来を描くのか。

食、教育、医療、暮らし。この世に生まれ、働き、人とつながり、誰かを愛し、家族をいつくしみ、自然と共生し、文化や伝統、いのちに感謝し、次の世代にバトンを渡す。そんなごく当たり前の、人間らしい生き方をすると決めた「99％」の意思は、欲でつながる「1％」と同じように、国境を越えてつながってゆく。

意思を持つ「個のグローバリゼーション」は、私たちの主権を取り戻すための、強力な力になるだろう。

二〇〇一年の同時多発テロ後、変節するアメリカに失望していた私に『ルポ貧困大国アメリカ』を執筆するチャンスをくれた岩波書店と、担当の上田麻里さま、あれから一〇年余の月日が流れ、アメリカが映し出す世界情勢が猛スピードで変化するなか、今回の完結編で再びご一緒できて本当に嬉しいです。その想像を超える忍耐力と、徹底して質にこだわる姿勢に、この場を借りて心から感謝の意をささげます。今シリーズでは割愛せざるを得ませんでしたが、三部作を通し、国内外の大量の資料・文献を参考にさせていただきました。取材に協力してくれた大勢の人々、シリーズを通して、世界各地から励ましのお手紙やメールをくださる読者の方々、どんなときもそばで支えてくれる夫や母、友人や愛猫。決してあきらめず、無力感に負けず、しあわせな未来をイメージし続けることの力。どんなささやかな行動も、そこに向かう一歩だと信じて進むことの価値を教えてくれた、世界中の「99%」たちへ、愛をこめて。

二〇一三年六月

堤　未果